はじめに

「岩盤規制」とは、言ってみれば「おバカ校則」みたいなものだ。

まず、内容が古い。戦争直後の食料不足、住宅不足に対処するために作られたもの、ＧＨＱが決めたことをそのまま踏襲《とうしゅう》しているものなど枚挙《まいきょ》に遑《いとま》がない。どれだけ過去を引きずってるんだ。

次に、根拠がない。いや、一応表向き畜産農家の保護とか、減反《げんたん》廃止といった美しい大義名分はある。ところが、その効果は検証されることなく、全く別の目的（大概は既得権の温存）に利用されている。

そして、一番問題なのはこれが最終的に社会主義経済に行きつくという点だ。「岩盤規制」は自由主義経済の対局にある。その背景には「自由な経済活動よりもエリートが敷いた線路の上を走った方が経済は発展する」という誤った思想があるからだ。

残念なことに、これほど誤ったルールが、「それが決まりであるから」という理由だけで未だに生き残っている。なぜなら、その上に胡坐《あぐら》をかいて楽をして金を儲けるモデル、いわゆる既得権が横たわっているからだ。自分は関係ないと思っても、普段は気付かないところに岩盤規制は厳然として存在し、我々の生活を圧迫する。それはスーパーの乳製品売り場にも、病院のベッドにも、銀行のATMにもべったりとこびりついて離れない。牛乳が余っているのにバター不足が起こったり、NHKの受信料が全く使われずに貯金されているのも、すべて岩盤規制のせいだ。実は誰もが一度は岩盤規制によって不利益を蒙《こうむ》っているのだ。そして、本来それを告発すべきテレビ、新聞も実は岩盤規制でオイシイ思いをしている。これではもう話にならない。

いま日本に存在する岩盤規制の大半は古い自民党体質の残滓《ざんし》である。バブル時代、「日本は最も成功した社会主義国家である」というジョークがあったが、あながち間違いではないかもしれない。日本は自由主義経済であるにも拘《かか》わらず、ありとあらゆる業界に社会主義的な規制が存在している特異な経済構造を持っているのだ。これは戦時統制の名残《なごり》か？　それともGHQの置き土産か？　いずれにしても、これではチャイナを笑えない。

本来、こういった古い自民党体質と対決し、改革を要求するのは野党の務めだ。ところが日本維新の会などごく一部を除き、野党は完全にイカれてしまった。こともあろうに野党が岩盤規制の擁護に回っている。あべこべに岩盤規制と戦っているのはむしろ安倍政権であったし、今の菅政権でもある。

象徴的な事件を1つ紹介しよう。安保法制の時のバカ騒ぎを覚えているだろうか。2015年、与党が提出した平和安全法制に対して、民進党をはじめとした野党とそれに呼応した自称「市民」が国会前で連日連夜大騒ぎをしたあの事件だ。この法律は憲法9条に違反し、日本が戦争をするための法案であり、徴兵制が復活すると叫んでいた。彼らは口々に「憲法を守れ！」「立憲主義」などと主張していた。

この時バカ騒ぎをしていた集団とほぼ同じメンバーが、その後モリカケ問題で同様の騒ぎを起こした。しかし、彼らは文科省による重大な憲法違反について、完全にスルーした。その問題とは加計《かけ》学園による今治《いまばり》市での獣医学部新設を文科省が妨害し続けたという問題だ。元財務官僚で特区制度に詳しい髙橋洋一氏は、この問題の核心について次のように解説している。

今回、岡山理科大学が獣医学部を新設希望した愛媛県今治市は、平成28年（2016）1月、認可申請できないという異常な事態を、認可申請できるという普通の状態にする国家戦略特区に指定されました。

同じく国家戦略特区に指定された京都府も、京都産業大学に獣医学部を新設の申請をすることを目指していました。そしてこの年の11月、国家戦略特区の諮問《しもん》会議で獣医学部の新設の申請が52年ぶりに認められ、平成29年（２０１７）１月、今治市が事業者を公募したところ、京都産業大学は準備不足で断念。加計学園だけが名乗りを上げ、今治市で新設の申請をする方針が決まりました。

実際の認可は、文科省において検討され、新設が決まったのは文科省の認可がでた11月でした。この認可作業は、文科省関係者のみが関わっています。（『現代ビジネス』http://gendai.ismedia.jp/articles/-/55655）

２０１７年11月、52年ぶりとなる獣医学部の新設が文部科学省の大学設置・学校法人審議会で認可された。今治市と加計学園の15年間の努力が実った形だ。しかし、52年間「（獣医学部を）認可申請できない異常な事態」が続いたこと、これこそが憲法違反であった。

そもそも、憲法には自由権が規定されている。該当する条文には次のように書いてある。

日本国憲法第十三条　すべて国民は、個人として尊重される。生命、自由及び幸福追求に対する国民の権利については、公共の福祉に反しない限り、立法その他の国政の上で、最大の尊重を必要とする。

すべての国民の自由は最大限尊重される。よほどの理由（公共の福祉に反するなど）がない限りその自由を制限することはできない。この条文をどう読んでもそのように解釈できる。しかし、文科省はこの条文解釈を52年間曲げてきた。彼らは理由がなくても官僚の裁量で勝手に自由が制限できると解釈したようだ。

国民の自由には「経済の自由」が含まれている。個人も、そして個人の集団である法人も公共の福祉に反しない限り自由に経済活動を行うことができる。これが日本国憲法の定めたルールだ。そして、獣医学部の新設も経済行為に含まれる。よって、よほどの理由がない限りこれを止めることはできない。そもそも、文科省は大学設置要件を定めているわけで、少なくともこれを満たす限り、速やかに認可しなければならない。

ところが、獣医学部についてのみ、52年間にもわたって文科省はこれを拒否した。理由は「獣医師は足りている」というものだった。しかし、その主張の根拠となる数値、データ、方程式は一切示されなかった。仮に、この主張が獣医師会と既存の獣医学部を持つ大学の勝手な言い分を代弁しただけだとしたら、監督官庁の意味がない。腐敗官庁と批判されても文句は言えないだろう。

なぜなら、憲法が認める自由権を制限しようとするなら、当然制限する側にそれが合理的であり、妥当であることを立証する責任があるからだ。文科省は当然数値的な根拠をしっかり示さなければならなかった。ところが、それは示されることはなかった。

しかも、文科省はその違憲状態を念押しするためにご丁寧に告示（平成15年3月31日文部科学省告示第45号）まで出している。もちろん、その告示にも根拠となる数値、データ、方程式は一切示されていない。ついこの間まで、この告示を根拠に、獣医学部新設の申請書だけは受け取らず、ずっと門前払いにしてきたのだ。

告示は国会の決議すら経ていない官僚の勝手な命令であり、上位法令である法律や憲法の規定する内容を超えることは許されない。敢《あ》えて言うならそれが憲法秩序というものだ。もし、官僚が憲法や法律を無視して好き勝手なルールを国民に押し付けられるとしたら、憲法秩序は崩壊する。大変残念であるが、こと文科行政においてこれは現実のものとなっていた。

さて、ここで話を元に戻したい。安保法制のバカ騒ぎをやっていた集団のことを思い出してほしい。その集団は安保法制の時は「憲法を守れ」だの、「立憲主義」だの偉そうに吠《ほ》えていたが、文科省の明確な憲法違反に対して何をしただろうか？

彼らは、天下りの斡旋《あっせん》という違法行為に手を染めた、単なる汚職官僚である前川喜《き》平《へい》氏（元文科省事務次官）を、権力者を告発した英雄に仕立て上げ、本当の問題である憲法違反、国民の自由を踏みにじる違法行為に蓋《ふた》をした。そして、獣医学部を新設させないという岩盤規制を守ったのだ。口蹄疫《こうていえき》や鳥インフルエンザの予防に苦しむ地方自治体は多くの獣医師を欲していたが、野党はそれを踏みにじった。結果的に国民の経済的利益が犠牲になったのだ。そして、憲法を巡る、誰の目にも明らかなダブルスタンダードも目に余る。こんな連中が本気で立憲主義を求めているとは思えない。

そもそも、国会前でバカ騒ぎをしていた自称「市民」の中には多数の極左暴力集団が含まれていたことが分かっている。およそ民主主義とはかけ離れた思想を持つ過激な共産主義者が「護憲」を叫ぶ。何とも滑稽《こっけい》だ。そんな過激派の浸透を許していた時点で、この運動が本気で憲法を守ることを求めていたかどうかは疑わしい。

安倍総理（当時）は気の毒である。彼はむしろ憲法違反の文科省の暴挙《ぼうきょ》を止めさせる側にいた。そして、それは「岩盤規制」を打ち破る行為そのものであった。特区制度はそのために利用されただけの話だ。何があったかは冒頭引用した髙橋洋一氏の説明がすべてだ。特区制度においては、既存の規制であっても合理的な根拠となる数値が示せないものはすべてリセットされる。ここまでしてやっと文科省は、憲法違反の告示を撤回した。ついに獣医学部新設の申請書は受理され、文科省の審査を経て認可された。認可したのは文科省であり、安倍総理ではない。いったいどこに総理の関与や疑惑があるというのだろうか？　単に、いままで獣医学部新設の申請書を受け取らず門前払いしていたのが憲法違反だったというだけの話だ。

むしろ、疑惑があるのは国民民主党の玉木雄一郎議員や、自民党の石破茂議員ではないのか？　彼らは獣医師会から献金を貰ってこの岩盤規制を擁護していた可能性が否定できない。ますます疑惑が深まっている。

残念ながら日本のジャーナリズムは死に絶えている。玉木、石破問題に切り込むマスコミは皆無だ。実はテレビや新聞も岩盤規制によって守られている既得権者であり、文科省の汚職官僚の仲間みたいなものなのだ。こんな連中に期待するだけ無駄である。

獣医学部新設問題は日本の岩盤規制を象徴する大変分かりやすい事例だ。国民は自由に商売をする権利が憲法で認められている。そして、儲けた分だけ納税の義務を負う。別の言い方をすれば、国民は豊かになるために自由に活動できるし、政府は国民が豊かになった分だけ税収を得るウィンウィンな関係を憲法は定めている。

ところが、国民の自由な経済活動を妨害する邪《よこしま》な勢力が存在する。獣医学部新設問題において、普段は隠れているその勢力の一部が表に炙《あぶ》り出された。前川喜平氏に象徴される文科省の利権集団、玉木氏、石破氏などの政治家、そしてそれらの片棒を担《かつ》ぐマスコミだ。

実は、文科省の汚職は想像を絶するものだった。そこには野党である立憲民主党の影がちらつく。なぜなら、東京医科大学の裏口入学問題で逮捕起訴された文科省の前科学技術・学術政策局長の佐野太《ふとし》被告と、仲介役を果たした医療コンサルティング会社の元役員、谷口浩司被告を東京医大の理事長に引き合わせたのは、立憲民主党の衆議院議員である吉田統彦《つねひこ》氏だからだ。

立憲民主党は安倍総理に対して「疑われたら、疑われた側が潔白を証明せよ」と悪魔の証明を迫っていたのであるから、身内の不祥事についても同じ基準で追及すべきだろう。しかし、立憲民主党は追及どころかまともな釈明会見すら開かず、この件から逃げ回っている。そして、マスコミもこの問題にはだんまりを決め込んだままだ。岩盤規制とはまさに触れ得ざるもの、日本の大問題なのである。

本書はその触れ得ざる問題に大きく切り込んで、真の実情を炙り出すために書かれた。マスコミが絶対に触れない既得権の闇を白日の下に晒《さら》し、その巨悪の消滅を願って、戦いを挑む。自由な経済こそが国民を豊かにし、国を強くする。日本経済の弱体化で喜ぶのはいったい誰なのか？　考えてみれば答えは簡単に分かりそうなものだ。この点については読者諸君の賢明な判断に委《ゆだ》ねたい。

※本書は2018年に刊行された『日本を亡ぼす岩盤規制』(飛鳥新社)に大幅に加筆し文庫化したものです。

第1章

スマホ・携帯電話

携帯料金値下げの具体策、教えます

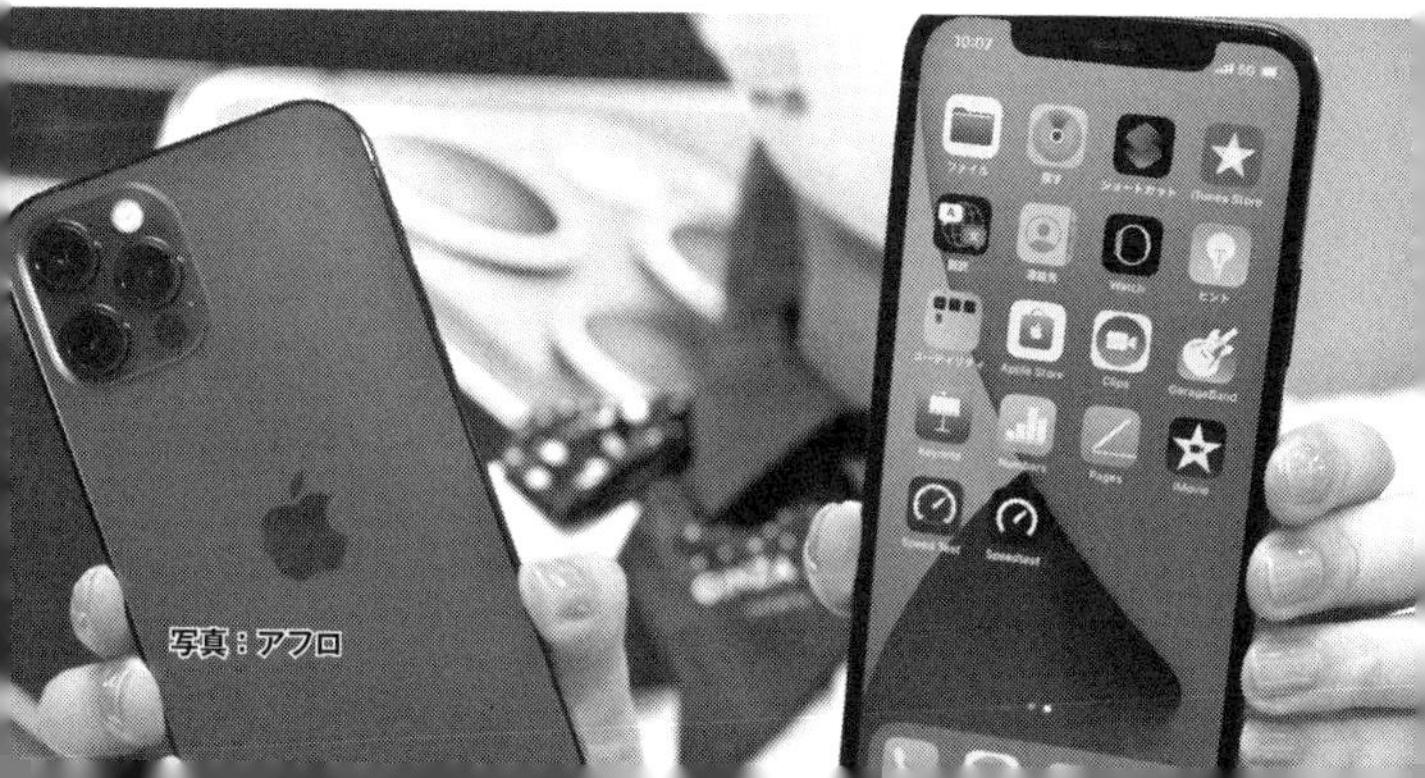

写真：アフロ

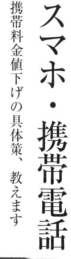

難攻不落の携帯市場

日本の携帯電話市場は特殊である。その特殊な市場に過剰に最適化された携帯メーカーは、海外では全く通用しなくなった。極めて残念なことに、2000年以降、携帯電話を作っている日本企業の数は半減した。現在は、シャープ、富士通、ソニー、NEC、パナソニック、京セラの6社になっている。

ただし、NECとパナソニックはいわゆるフューチャーフォン（ガラケー）とタブレットなどを作っているが、スマートフォンは製造していない。シャープは鴻海《ホンハイ》に買収されて台湾企業になってしまったので、日本企業というには問題がある。また、富士通は2019年4月に携帯電話事業から撤退することが報じられた。

結局、今後、スマートフォンを作る日本企業はソニー、京セラの2社になってしまうようだ。2001年まで、日本で携帯電話を作っている会社は11社あった。しかし、いまから概《おお》む10年前に三菱電機、東芝、三洋電機、カシオ計算機、日立製作所は携帯部門の売却や統廃合でこの商売から足を洗っている。かつては世界の家電市場を席捲《せっけん》した日本勢は総崩れだ。

図表1　世界のスマートフォン市場のシェア（2020年2月現在）

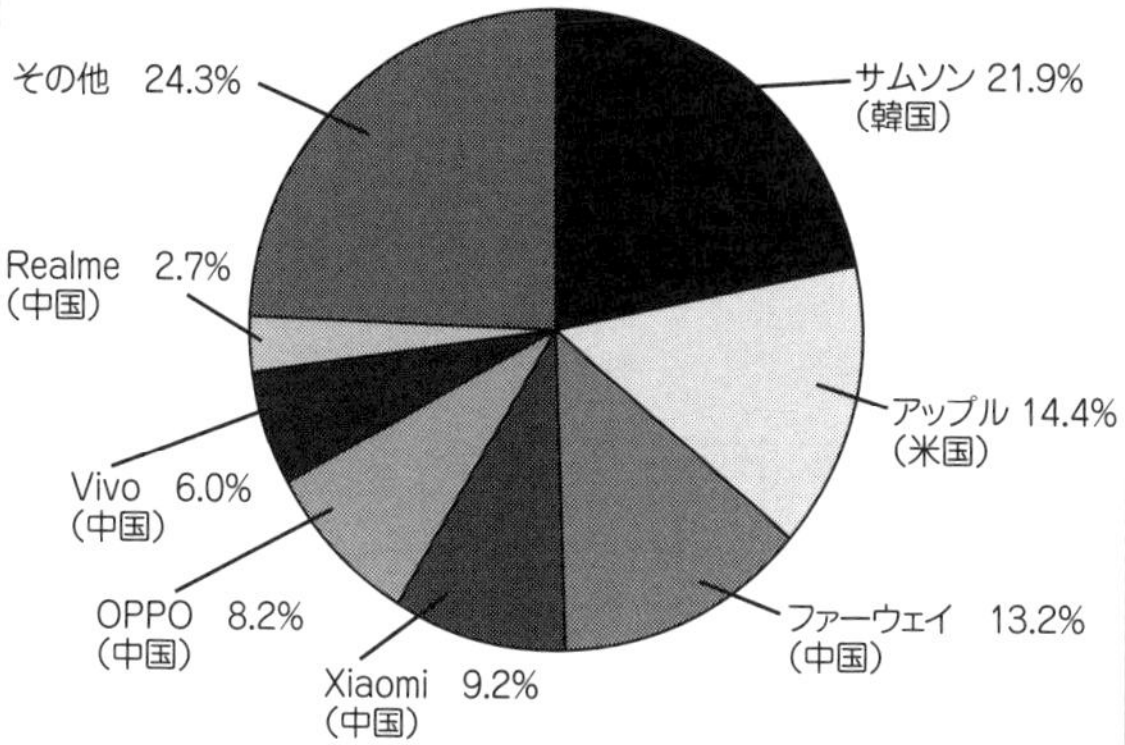

参照：https://ascii.jp/elem/000/004/007/4007609/

現在、世界のスマートフォン市場のシェアは図表1のようになっている。

日本の携帯メーカーはすべて「その他」に分類されて見る影もない。アメリカのメーカーでは唯一アップルが14・4%のシェアを握るのみ。サムスン以外はすべてチャイナ勢である。

いまから24年前、1996年の携帯電話世界シェアの4位はパナソニック（松下電器）で8%、5位はNECで6・8%だった。しかし、その5年後の2001年にはこの2社は世界シェア上位5位から早くも脱落していた。日本の携帯電話メーカーの凋落《ちょうらく》は四半世紀前から始まっていたのだ（次ページ図表2参照）。

図表2 携帯電話世界市場出荷台数上位5社の推移

1996		2001	
会社名	シェア(%)	会社名	シェア(%)
1 モトローラ	26.9	1 ノキア	35.0
2 ノキア	20.2	2 モトローラ	14.8
3 エリクソン	12.1	3 シーメンス	7.4
4 **松下**	8.0	4 サムスン電子	7.1
5 **NEC**	6.8	5 エリクソン	6.7
その他	26.0	その他	29.0
世界市場合計出荷台数(千台)			
66,539		399,583	

(https://www.dbj.jp/reportshift/report/research/pdf/42_s.pdf)

なぜこんなことになったのか? その理由は、日本の携帯電話市場の特殊性にある。そして、この特殊性こそが現在、菅義偉総理大臣が取り組んでいる携帯料金値下げを困難にしている根本原因だ。そして、その根本原因は未だに取り除かれていない。次の記事に、そのことが端的に指摘されている。

中国メディアの騰訊は2日、華為(ファーウェイ)や小米(シャオミ)、OPPO、vivoといった中国の大手スマホメーカーは中国国内はもちろん、東南アジアやアフリカ、欧米でも大きなシェアを獲得していると指摘する一方、世界で唯一と言って良いほど「攻略できていない市場が日本」だと論じる記事を掲載した。

記事は、日本のスマホ市場は世界的に見て非常に特殊だと主張し、米アップルと韓国のサムスン以外は日本メーカーのスマホがシェアを獲得しており、世界で大きな存在感を示す中国メーカーは日本市場を「こじ開けることができていない」と強調。

そして、その原因はキャリア（引用者注：電気通信事業者。日本ではＮＴＴドコモ、ａｕ《ＫＤＤＩグループ》、ソフトバンクモバイルの三社を「三大キャリア」と称する）が機種本体の販売量を左右するといった日本の携帯電話市場の特殊性によるものだとしたほか、中国の一部メーカーがプロモーションで日本の消費者を怒らせた事例もあったように「消費者の理解不足」という側面もあると論じた。（https://news.nifty.com/article/world/china/12190-20200704_00021/）

あのチャイナのメーカーをもってして「難攻不落」と言わしめた日本市場。そもそも、「キャリアが機種本体の販売量を左右するといった日本の携帯電話市場の特殊性」とは何なのか？　この点について歴史を繙《ひもと》きながら解説したい。

覇王NTTの重大ミス

日本の通信機器メーカーは、伝統的に通信キャリアとの結びつきが強い。その源流は旧日本電信電話公社（電電公社）が民営化される以前の「電電ファミリー」（＝NEC、日立製作所、富士通、沖電気）にまで遡《さかのぼ》ることができる。当時、電電公社は通信キャリアでありながら世界有数の研究所と先端技術開発能力を持っていた。そのため、機器の調達にあたっては異常に厳しい品質を納入業者に要求した。

この過剰ともいえる品質要求を満たすために、過剰適応した通信機器メーカーが「電電ファミリー」である。彼らは電電公社から特別な地位を与えられ、それが長期的且《か》つ大きなセールス上のメリットをもたらしたのだ。

この慣行のせいで、日本の通信端末は電電公社の指定する過剰なスペックを満たす極めて特殊なものとならざるを得なかった。電電公社が民営化され、NTTになっても、その子会社であるNTTドコモが誕生しても、このカルチャーはあまり変わらなかった。

そして、通信自由化に伴って誕生した新電電や新手の携帯電話メーカーも、業界の覇王ＮＴＴの慣例に倣《なら》った。その頃の名残《なごり》で、日本の携帯端末はいまでもその多くが各通信キャリア向けの専用端末なのだ。

さらに、１９９０年代前半の携帯電話デジタル化の初期段階（２Ｇ移行）で、ＮＴＴは大きなミスを犯している。それは、当時世界標準であったＧＳＭ（Global System for Mobile Communications）方式ではなく、日本の独自規格であるＰＤＣ（Personal Digital Cellular）方式を採用してしまったことだ。これはまさに通信鎖国であった。この環境下で、携帯端末メーカーは独自の進化、いやガラパゴス的進化を遂げた。いわゆる「ガラケー」の誕生である。

競争力を奪ったぬるま湯的環境

２００３年には日本の携帯電話市場は年間販売台数が５０００万台を越えていた。その市場規模は決して小さくない。国内端末メーカーは敢えて海外進出するリスクを取らなくても、ＮＴＴドコモをはじめとした通信キャリアと友好な関係を維持すれば十分に儲けられたのだ。

日本の端末メーカーはぬるま湯的環境のなか、キャリアの言うことさえ聞いていれば開発コストが回収でき、利益も上げられた。そのため、マーケティングはすべてキャリア任せにして、言われたとおり製品を仕上げる下請け業者になってしまった。同時期に海外メーカーが熾烈《しれつ》な競争を戦い、自らマーケティングを行いながらノウハウを蓄積していたのとは大違いだ。

ＮＴＴが主導したこのぬるま湯的な環境こそが、日本勢の競争力を奪った。もちろん、日本のメーカーもこの時期、海外進出をしなかったわけではない。しかし、日本と海外では同じ携帯電話市場でも状況が違い過ぎた。日本勢は国内市場のやり方が通用せず、海外市場では敗北して撤退するしかなかった。

もちろん、このガラケー方式にメリットが全くなかったわけではない。むしろ、２０１０年ごろまで、このスキームは無敵だった。ガラケーとはいえ、高機能な携帯電話が次々に開発され市場に投入された。その特殊な仕様ゆえに、海外勢をブロックできたのも事実だ。

このように日本では、通信キャリア主導の垂直的取引関係のもとで、世界的にみても高機能な機種が低価格で多数導入されてきた。携帯電話によるインターネット接続サービス、カメラ付携帯電話、ＧＰＳ機能付携帯電話、ワンセグ対応携帯電話、おサイフケータイ等は、いずれも世界に先駆けて日本で製品化されたものばかりである。

しかしながら、こうした端末の開発には高額な開発コストが伴い、端末メーカーにはその回収リスクが発生する。しかも、通信キャリアは、端末の主要部材についても汎用品ではなく、新規開発を伴う専用品を要求する。加えて、こうした高機能機種が半年から1年という、極めて早いペースで市場に投入されるため、回収も短期間のうちに行わなければならない。

そこで、通信キャリアは、こうした端末メーカーのリスクを排除するために、あらかじめ一定量の買い入れをメーカーに担保し、端末メーカーの開発リスクを通信キャリアに転嫁しようとする。一説によれば、キャリアが端末メーカーに発注する初期ロットの売上で、端末メーカーはおおよその開発費用を回収できるという（王亭亭《２００７》「『日本初』W-CDMA』の挫折」IT pro,)。

そして最終的には通信キャリアが吸収したリスクは通信料金からの内部相互補助によって賄《まかな》われることとなる〉（小林崇秀「日本の携帯電話産業における通信キャリア

と端末メーカーの取引構造の変化」より）

携帯料金が高い根本原因

端末メーカーは通信キャリアの要求に忠実に従い、端末を開発・製造する。すると、そのご褒美に通信キャリアは新型端末を一括で買い取ってくれる。一括で買い取られた端末は、ドコモショップなどキャリア側の販売網を通じてエンドユーザーへと販売される。その際、端末と通信サービスは抱き合わせで販売されるところがポイントだ。

いまは禁止されているが、かつて大流行した「端末代金無料」のカラクリをご存じだろうか？　あれはまさにこの抱き合わせ販売のなせる業《わざ》である。典型的なのは「2年縛り契約なら5万円の端末代を無料」といった値引きキャンペーンだ。

実はこのキャンペーン、端末代金を無料に見せるために月々の利用料を2000円ほど割高に設定してあるのだ。こうすることで、縛りが効いた2年間で4万8000円を回収できる。実質の値引きは2000円しかない。その実質値引きですら、事務手数料などによって回収可能だ。もちろん、月々の利用料を2000円割高に設定したことがバレないように、正規料金はそれよりもさらに高くしておくという芸当も忘れてはいけない。こんなことが許されていたのだ。

多くの読者の皆さんも、このキャンペーンに引っかかった経験をお持ちだろう。ちなみに、2年縛りの期間中に解約した場合、残りの契約期間に応じて違約金が設定されていたことを憶えているだろうか？　あれは違約金とは名ばかりの、端末代金の未払金一括払いだ。つまり、「端末代金無料」とは、通信サービスとの抱き合わせ販売を使った見せかけの割引きなのである。なぜ日本の携帯電話料金が高いのか、その根本的な原因はここにあったのだ。

「儲けすぎ」の構図を作った総務省の失策

菅総理は官房長官の時代からこの抱き合わせ販売をやめさせるため、様々な施策を講じてきた。しかし、それらはあまりうまく行っていない。

２０１８年夏、菅氏は「日本の携帯電話料金は世界的に比べて高すぎる。４割値下げできる余地がある」と発言し、その後、電気通信事業法が改正された。端末と通信の完全分離プランとして、端末割引きには「上限2万円」という規制がなされ、１万円近かった解約時の違約金も１０００円程度に引き下げられた。

しかし、携帯電話料金そのものは安くならず、三大キャリアは20％近い営業利益を維持している。なぜそうなってしまったのか？　ＩＴジャーナリスト石川温《つつむ》氏は次のように分析している。

我々国民が「スマホ代が安くなった」と実感することはほとんどない。むしろ、スマホ本体の割引が適用されなくなったことで「スマホを買い替えにくくなった」という、ネガティブな印象しかない。

菅氏は「携帯電話会社は儲けすぎている」と批判しているが、さらに儲かる構図を作ってしまったのは、この2年間、総務省が手がけてきた政策が失敗しているからに他ならない。

例えば、ＮＴＴドコモの２０２０年第１四半期決算を見てみると、端末販売台数が２１５万台と前年同期の３４４万台と比べて１３０万台近くも減っている。これによって、７７７億円の減収になったのだが、一方で端末販売費用が前年同期比で８４９億円も減った為、結果として72億円の増収となったのだ。

つまり、コロナによるショップの営業時間短縮と改正電気通信事業法による割引規制により「スマホは売れなくなったが、端末の割引をしなくて良くなったので販促費用も減って、結果として儲かった」という構図になってしまった。

「儲けすぎ」な環境を作ったのは総務省の失策が原因に他ならないのだ。

また、各キャリアが決算資料で出している「解約率」を見ても、総務省のやっていることが間違った方向に行っているのが良くわかる。

ＮＴＴドコモのハンドセット解約率（引用者注：携帯端末解約率）を見ると、２０２０年第１四半期が０・34％。前年同期は０・45％だった。ＫＤＤＩは今期が０・51％で前年同期は０・75％（スマホ以外も対象）。ソフトバンクのスマホ解約率は今期が０・53％、前年同期が０・81％と、いずれのキャリアも解約率が落ちている。

つまり、ほとんどの人が契約しているキャリアをやめずにそのまま使い続けているのだ。格安スマホを手がけるＩＩＪの決算資料を見ると、個人向けサービスであるIIJmioにおいては前年から回線数が減少するなど、苦戦を強《し》いられている。

この2年間、総務省があれこれ手を尽くしてきたが、菅氏が語る「事業間の競争が働く環境」など起きておらず、むしろ総務省のせいで顧客獲得競争が止まってしまったのだ。(https://japanese.engadget.com/career-065007873.html)

タダ同然で電波を使用

しかし、菅総理は諦めない。2020年9月2日、自民党総裁選の出馬会見に際し、改めて携帯電話料金値下げに意欲を示している。その発言を引用する。

もう一つの例は、携帯電話の料金であります。国民の財産である公共の電波を提供されるにもかかわらず、上位3社が市場約9割の寡占《かせん》状態を維持し、世界でも高い料金で、約20%もの営業利益を上げております。私は一昨年、携帯電話料金は4割程度引き下げられる余地があると表明したのも、このような問題意識があったからであります。事業者間で競争がしっかり働く仕組みをさらに徹底をしていきたいと、このように思います。(https://www.sankei.com/politics/news/200902/plt2009020056-n1.html)

菅総理の携帯電話料金値下げへのこだわりは相当なものだし、これはむしろ当然のことだと思う。なぜなら、電波は国民の共有財産である。ところが、その財産は極めて不透明な形で割り当てられている。本来なら電波オークションを実施し、最も高い札を入れた企業に売却すべきだ。

しかし、総務省は「比較審査方式」という非常に分かりにくい割り当て制度を長年続けてきた。この方式は、まず電波の割り当てを希望する業者が使用計画や基地局整備計画などを提案し、その内容を電波監理審議会が審査する。審議会は審査を経て答申を出し、割り当ての優先順位が付けられる。

ところが、ここに大きな問題がある。審議会の審査結果は必ずしもそのまま実施されるわけではない。実は、総務省の官僚が最終的な裁量権を持っているのだ。

普段から天下りを受け入れて総務省にいい顔をしていると、なぜか電波帯域がたくさん割り当てられるという幸運に恵まれるかもしれない。ソフトバンクの孫正義社長に総務省からの天下り問題を指摘されたＫＤＤＩの田中孝司社長（当時）は、２０１3年7月30日の第１四半期決算会見の席上で次のように答えた。

我々としては本当に優秀な方に人材として来ていただくということであり、会社にとってもプラスになるのではないかと考えている。（https://news.mynavi.jp/

article/20130730-a244/）

なんと、天下りを否定しないではないか！　それどころか、「彼らは優秀な人材だ」と開き直った。天晴《あっぱれ》である。ここまで言うなら、田中氏はもう一歩踏み込んで「彼らは有用な人材」だと言えばよかった。総務省から天下りを受け入れると、他の先進国では当たり前のオークションを回避でき、電波の割り当てで有利になるとハッキリ言えばよかったのだ。

携帯電話やスマートフォンが繋がりやすいプラチナバンド（700〜900㎒）の帯域についても、総務省は比較審査で割り当て業者を決めてしまった。元財務官僚の髙橋洋一氏によれば、もし日本で電波オークションが実施されれば、電波利用料は数十倍から100倍に跳《は》ね上がるという。

つまり、三大キャリアは、総務省の裁量によって、プラチナバンドをタダ同然で手に入れて、外国より高いマージンを乗せて売っているのだ。それが20％もの高い営業利益の源泉である。あれだけ有名人を使いまくったCMを次々と打てる理由もそこにある。電波オークションを導入して、新規キャリアの参入を促《うなが》すべきだ。

「SIMロック」という異常

ところが、通信キャリア関係者は菅総理の発言を冷ややかに見ているそうだ。前出の石川氏の記事から再び引用する。

菅氏が本気でスマホ市場に競争を起こしたいのであれば、この2年間にやったことは全てリセットし、イチから競争環境政策を作り直す必要がありそうだ。
今後、キャリアは菅氏の発言に振り回されることになりそうだが、あるキャリア関係者は「菅さんは値下げしろという姿勢を見せるだけで、結果は求めていない。それを繰り返し、国民の味方であることをアピールできれば満足なのでは」と冷ややかだ。
(https://japanese.engadget.com/career-065007873.html)

携帯電話料金値下げという公約はテレビのワイドショーでもたびたび取り上げられ、菅総理のメディアジャック戦略は奏功しているように見える。しかし、話題になるだけなって結果がショボければ、国民は納得しない。石川氏の指摘するとおり、この2

年間やったことは全部チャラにしてゼロからやり直すぐらいのことは必要だ。この問題は、電電公社時代に遡る日本の宿痾《しゅくあ》である。天下りも絡《から》んだ一大利権を突き崩すのは並大抵のことではない。

端末と回線との抱き合わせ販売を止めさせても人々が格安SIM業者に流れない理由はただ一つ、乗り換え手続きの面倒臭さだ。そこで私は提案したい。シンプルにいこう。すべてのキャリアに対してSIMロックを禁止するのはどうだろう。SIMとは、端末に装着されているICカード（SIMカード）のことで、現在、日本の三大キャリアが販売する端末には、自社のSIMカードしか利用できない制御（ロック）がかかっている。

たとえば、NTTドコモで購入したiPhoneにソフトバンクのSIMカードを挿《さ》しても、通信はできない。SIMロックは日本独自のガラパゴス仕様である。通信キャリアにとっては、顧客を逃がさないために必要なものかもしれないが、ユーザーにとっては百害あって一利なしの極めて迷惑な話だ。こんなもの即廃止してしまえばよい。現在、ユーザーが希望すればこのロックを解除することはできる。しかし、そんなものは生ぬるい。最初からロックを禁止すべきだ。

こうすることで、機種変更もキャリアの乗り換えもSIMカードの差し替えだけで一瞬できるようになる。読者の皆さんもご経験があると思うが、いまでも三大キャリアの機種変更はなぜか1時間近い時間を要する。

意図的!?　複雑すぎる料金プラン

実はこの点についても、２年前に菅総理は指摘していた。

菅義偉官房長官は30日の記者会見で、自身が主張する携帯電話料金の引き下げに関し、「(契約の）手続きに時間がかかりすぎるという国民の声もある」と述べ、手続きの見直しにも意欲を見せた。料金プランの変更や解約など手続きの簡素化などが念頭にあるとみられる。(https://www.sankei.com/politics/news/180830/plt1808300014-n1.html)

機種変更の際に、必ずと言っていいほど古いプランから新しいプランへの乗り換えを勧められ、しかもそのプランが大抵複雑で説明に異常に時間がかかる。よく分からず契約してしまっている読者も多いのではないか。日経新聞が菅氏のこの発言を受けて掲載した「携帯ショップ、なぜ混むの？　3つのポイント」（2018年10月25日）には、その理由として①スマホでプラン複雑化②多すぎるオプション③ショップスタッフの人手不足の三つをあげている。①と②は、まさに携帯電話料金が下がらない原因そのものである。

いわゆる格安SIMといわれるキャリアの場合、契約からプラン選定まですべてネット上で完結することができる。契約が完了すればSIMカードは郵送で送られてきて、それをSIMフリーの端末に挿し込めば即座に携帯電話が使える。端末を買い替えた場合でも、SIMカードを抜き挿しすれば瞬時に機種交換完了だ。手書きの書類のやりとりも、複雑なプランの説明も不要だ。

また、通信キャリアそのものを乗り換えることも簡単にできる。たとえば、いま契約している業者よりもっと安い業者を見つけたら、ネット上からナンバーポータビリティ（電話番号そのままで通信キャリアを乗り換えるサービス）を使って乗り換えの申込みが可能だ。そして、新しく送られてきたSIMカードをいままで使っていた携帯電話に挿すだけでそのまま使うこともできる。

この場合も、ドコモショップやソフトバンクショップなど、いちいち通信キャリアのショップに出向く必要はない。もちろん、スタッフから複雑な料金プランの説明を長々と受ける必要も待ち時間もない。

通信キャリアは端末販売禁止に

ＳＩＭロック禁止に加え、やるべきことは、通信キャリアによる端末の販売の禁止だ。通信契約と端末販売の抱き合わせこそが諸悪の根源であることはすでに述べたとおりだ。だから、そもそも通信キャリアに端末を売れないようにしてしまえばよい。携帯メーカーは家電量販店や通販業者などに直接端末を卸《おろ》し、ユーザーはそこで端末を買う。通信の契約とは完全に分離だ。

そうなれば、通信キャリアのショップは単なる通信契約の窓口でしかなくなる。三大キャリアのアドバンテージは一気に消失するのではないか？

ただ、問題はＳＩＭロック禁止措置の導入の仕方である。私は地上デジタル放送の時のように、一斉且つ強制的にやってしまうのがいいと思っている。新規契約に関してのみＳＩＭロック禁止とするのではなく、たとえば3年後のある時点をもって、ＳＩＭロック機能が付いた携帯電話のオペレーションを禁止してしまうのだ。

つまり、現在SIMロック機能付き携帯を使っている人は3年以内に強制買い替えとなる。買い替えを推進するために、政府は国民に携帯電話買い替え補助金を配ってもいいと思う。こうすることで一旦すべてがリセットされ、その際に通信キャリアの見直しも行われるだろう。

もちろん、顧客獲得に向けた激烈な競争が発生する可能性は高い。そして、競争が起これば料金は安くなる。経済の絶対に逆らえない掟《おきて》だ。

この3年間の特需に応えるのが日本の携帯メーカーである。作るのは世界中どこでも使えるSIMフリー携帯だ。とりあえず1億2000万人分の買い替え需要に徹底的に応えてもらおう。もちろん、チャイナ製携帯はセキュリティ上の理由で輸入を禁止したうえでの話だ。

日本勢はそこで儲けたお金で、再び世界シェアを奪いにいってほしい。その際は、競争に勝ち残って何とかスマホを作り続けているソニーと京セラには大いに期待したいと思う。

当初、楽天モバイルの参戦で通信キャリアが4社になれば自然に競争が激化し、携帯電話料金は下がると期待されていた。しかし、蓋《ふた》を開けてみれば楽天モバイルのサービスエリアは狭く、加入者数もまだ少ない。また、いまの制度を残したまま新しい通信キャリアを参入させても、既得権者がもう1社増えるだけかもしれない。

ＳＩＭロックという世界でも稀《まれ》なガラパゴス的顧客の囲い込み術を放置したままで、ユーザーの流動化は進みようがない。かつてＰＤＣ方式を採用して日本が世界の孤児になった経験は忘れてしまったのか？　一日も早く日本の携帯市場を国際標準に近づけるべきだ。大変運のいいことに米中対立の激化に乗じて、チャイナ製スマホは全部ブロックできる。この隙《すき》に1億2０００万台の巨大買い替え需要を喚起すれば、日本のメーカーには大きなチャンスとなるだろう。それで携帯電話料金も安くなるなら一石二鳥だ。

菅総理には、楽天の参入に期待し過ぎることなく、ありとあらゆる手段を検討してほしい。国民は結果を求めている。

第2章

財務省

日本経済復活を阻害する最悪の集団

写真：三木光／アフロ

残酷すぎる数字

経済政策は難しいと決めつけてはいけない。そう言う人に限って自分で考えることをせず、偉い人が言ってるとか、頭のいい人が言ってるとか、みんなが言っていると他人に丸投げして自分で考えようとしない。

人間は日々、お金を使って経済活動をしている。そういう意味では経済のプロだ。その感覚はとても鋭く、金融理論を理解しない人でも、デフレが迫ってきたらそれを何となく感じて行動を変える人が多い。実は、日々生活している人こそが経済の主人公であり、最も経済を理解しているのだ。

これとは逆に、財務省、マスコミ、御用学者は人々の正しい経済認識をわざと混乱させるようなノイズを垂れ流している。その典型が「財政危機」という史上最大のデマだ。このデマはとてもたちが悪い。これらの人々は国内で大きなネットワークを形成しているだけでなく、実は海外にも多くの仲間を持っているからだ。いや、むしろこの「宗教」の総本山はヨーロッパにあるかもしれない。それぐらい、「緊縮」という誤った「清貧《せいひん》の思想」は人々の心を魅了してしまうようだ。

「将来への不安が消費を鈍らせている」などとしたり顔で解説するエコノミストを信じてはいけない。人々が本当に不安に思っているのは、少し景気が良くなるとすぐに増税する緊縮的な政府の姿勢だからだ。むしろ、増税によって将来への不安が掻《か》き立てられている。まさに本末転倒な事態が世界中で起こっているのだ。

アベノミクスによって日本は物価上昇率は辛《かろ》うじてプラス転換し、デフレ状態は終わった。しかし、どうしても日本をデフレのままにしておきたい勢力がいるらしい。ことさらに財政危機を煽《あお》り、増税の必要性を説くのは財務省だ。そして、奇妙なことに自民党の大多数の議員と野党も財務省の尻馬に乗って増税が必要だという。デフレに戻れば経済は不安定化し、財政はむしろ悪化するのに、なぜ財務省はそれを望むのか？

世の中には客観的な事実より、個人的な好き嫌いを優先する人が多い。そして、彼らには目の前で起こっていることが見えない。残念ながら、そういう人が日本のマスコミや野党に集まっているらしい。

彼らはアベノミクスで格差が広がったなどと吹聴《ふいちょう》するが、具体的な根拠がない。数字は残酷だ。就業者数が増加するなかで失業率が下がっている。誰がどう見ても、アベノミクス8年間の成果は絶大だ。詭弁《きべん》を弄《ろう》しても、これを否定することは難しい。

いくらマスコミや野党が目を背けても、この数字がすべてを語っている。日本経済は確実に良くなった。少なくとも、落第続きだった民主党政権時代に比べれば格段に良い。この事実は隠せない。

一昔前なら、マスコミはこの数字を捻《ね》じ曲げたり、隠したりすることができただろう。しかしインターネットの普及によって、彼らの「報道の自由」は大幅な制約を受けることとなった。かつて森喜《よし》朗《ろう》総理の「神の国」発言で内閣支持率を下げられた時代は二度と来ない。あれは

数字で見るアベノミクスの進捗状況

経済再生・デフレ脱却	
名目GDP	政権交代前 493兆円 → 安倍政権で 551兆円（政権交代前と比べ11.7%成長し、過去最高）
株価	前政権時 8,664円 → 22,319円（H30.04.26）
女性の就業者数	安倍政権で201万人増
有効求人倍率	政権交代前 0.83倍 → 安倍政権で 1.59倍（約44年ぶりの高水準）
正社員求人倍率	政権交代前 0.50倍 → 安倍政権で 1.08倍（正社員雇用は政権交代前から78万人増）
雇用	安倍政権で251万人増 ○高卒・大卒の就職内定率は過去最高水準 ○最低賃金は5年連続で大幅に引き上げ
企業の経常利益	政権交代前 50兆円 → 安倍政権で 81兆円（過去最高水準）

国民の大切な年金の運用益大幅増	
公的年金運用益	安倍政権で56.5兆円増
企業年金運用益	安倍政権で29兆円増

景気回復で財政健全化	
国・地方税収合計	政権交代前（2012年度） 78.7兆円 → 安倍政権（2018年度） 102.5兆円

地方創生「観光立国」「農政新時代」	
外国人旅行者	政権交代前 870万人 → 安倍政権で 2,869万人（5年連続で過去最高を更新）
外国人旅行者の消費額	政権交代前 1.1兆円 → 安倍政権で 4.4兆円
農林水産物食品輸出額	政権交代前 4,497億円 → 安倍政権で 8,071億円（5年連続で過去最高を更新）

（出典／自由民主党FB投稿）

典型的な「切り取り報道」だった。いまなら、ほんの数分でネット上に発言全文がアップされてしまうだろう。

若い世代ほど、マスコミの報道に左右されていない。内閣支持率、与党支持率が若年層ほど高いのはその証拠だ。そして、彼らこそが実際にアベノミクスの恩恵を受けている世代なのだ。

とはいえ、私はアベノミクスが１００点満点だとは言わない。前よりも随分マシだが、この政策にはもっと徹底すべきことがあった。あえて言わせてもらえば、日本経済の潜在的な力から考えれば、過去８年間の伸びはまだまだ不十分だと言える。金融緩和も、財政出動も、そして規制緩和もやれることがたくさんあった。なかでも一番残念なことは、アベノミクスにおいて最も重要な目標が未だに達成されていないことだ。

その目標とは、日銀の掲げる年率プラス２％という物価目標である。アベノミクスの最大の成果は、デフレからの脱却である。それを確実なものにするのがこの目標の達成なのだが、極めて残念なことに、なぜか未だに達成されていない。日本経済が再びデフレに逆戻りしないことを確実にするために必須であるこの目標が、なぜ達成されないのか？

あえて、その理由を先に言おう。財務省が邪魔をしているからだ。財務省こそが日本経済復活を阻害する最悪の集団であり、その解体なくして目標達成はあり得ない。アベノミクス8年間の軌跡を振り返って、私はそう結論せざるを得ないと確信した。

デフレの害悪

本書の読者であれば、デフレがどれほどの害悪をもたらすか、すでに釈迦《しゃか》に説法であろうが、念のためこの点について簡単に説明しておく。

極めて単純化すれば、日本が再びデフレに戻れば、尖閣をチャイナに明け渡すことになるだろう。なぜなら、デフレになると税収が減り、それに伴って国防予算も大幅に削られるからだ。

なぜ、デフレになると税収が減るのか？　そのメカニズムも極めて単純である。デフレ下ではモノが売れず、景気が悪くなる。税金は人々の所得や企業の利益に課されるため、景気が悪くなれば減って当然だ。

では、なぜ人々はデフレになるとモノを買わないのか？　デフレとは物価が連続的にマイナスになる状態であり、人々は将来的な物価の下落を予想してお金を貯め込んでしまうからだ。

ところが、これが大問題だ。なぜなら、経済を大きな視点からみれば誰かの支出は必ず誰かの収入になるからである。もし、みんながお金を使わなくなれば、みんなが収入を得られなくなることに等しい。つまり、デフレになれば所得が減り続けることになるのだ。

この負の連鎖を断ち切るためには、将来的にモノが値上がりする期待を全国民に刷り込まなければならない。そのために必要なのが、物価目標の達成に向けた強い「コミットメント」なのだ。

たとえば、物価目標プラス２％が達成された暁《あかつき》には、今年１００万円で買えたものが来年は確実に１０２万円になる。お金を貯め込んで来年同じものを買えば、２万円確実に損する。こうなると、人々は値上がり前にモノを買おうと、貯め込んでいたお金をモノに換えようとする。消費が増加して景気が良くなり、給料が上がる。増税などしなくても、税収は自然に増えていく。

税収が安定的に増加するなら、国防費もそれに合わせて増加する。自衛隊の装備も最新式のものに更新できるだろう。間接的ではあるが、それが尖閣を守ることになるのだ。

つまり、政府および日銀が現金を貯め込もうとする人々の行動を思い留まらせることは、国を守ることに他ならない。そして、そのために最も効果的な方法は物価を上げることなのである。

日銀が財務省に「忖度《そんたく》」している

では、物価を上げるために何をすべきなのか？　まずは、物価上昇のメカニズムを正しく理解することからすべてが始まる。

世の中はモノとお金のバランスで成り立っている。モノの価値が上がるということは、お金に比べてモノが少ない状態のことだ。少なくとも、お金はモノよりも余っていなければならない。日銀はできる限り大量のお金を供給して、相対的にモノが少し不足している状態を作らなければならないのだ。

ところが、お金を大量に刷ると「ハイパーインフレ（年率13000％のインフレ）が起こる」と主張する人々が存在する。たしかに、際限なくお金を刷れば、物価は天文学的に上がるだろう。しかし、日銀の物価目標はたかが2％である。ハイパーインフレには程遠い。おそらく、彼らは徒《いたずら》に危機を煽り、日本をデフレのままにしたいのではないだろうか。

いや、それだけではない。肝心の日銀がフラフラしている。２０１８年４月の金融政策決定会合において、物価目標の達成時期見通しが削除された。これは、市場から物価目標の達成に消極的なのではないかという憶測《おくそく》を生んだ。黒田東彦《はるひこ》総裁は５月10日に都内で講演し、「各種のリスクがあり、不確実性が大きい状況では計数のみに過度な注目が集まることは適当ではない」（『産経新聞』２０１８年５月11日）と述べたそうだ。一体、何を言っているのだろうか。約束には期限がある。当たり前の話ではないか？

なぜ、ここへきて日銀の姿勢が弱腰に見えるか。その理由は簡単だ。日銀の親会社である財務省が良からぬこと（増税）を考えていて、子会社である日銀がそれを「忖度《そんたく》」しているからだ。

政府は２０１９年10月に、消費税の増税をした。２０１４年の増税で明らかになったように、これは物価目標の達成に大逆風になった。

次ページの表は、安倍政権が成立した２０１２年以降の消費支出の金額と伸び率を表したものだ。

２０１３年まで順調に伸びていた消費支出に、14年から大ブレーキがかかっている。しかも、その大ブレーキは２０１６年まで緩《ゆる》むことがなかった。これだけモノが売れなければ物価が上がるわけがない。消費税を増税すれば、これと全く同じことが起こることは誰の目にも明らかだ。日銀はそのことを見越して、達成時期に対するコミットメントを弱めた。そう解釈するのが一番自然ではないだろうか。日銀が弱腰になったタイミングで運悪く武漢肺炎のパンデミックが襲った。これで消費は全滅だ。

　たしかに、日銀は１９９８年の日銀法改正で、表向きは政府から独立したことになっている。しかし、現在２期目を務める黒田総裁

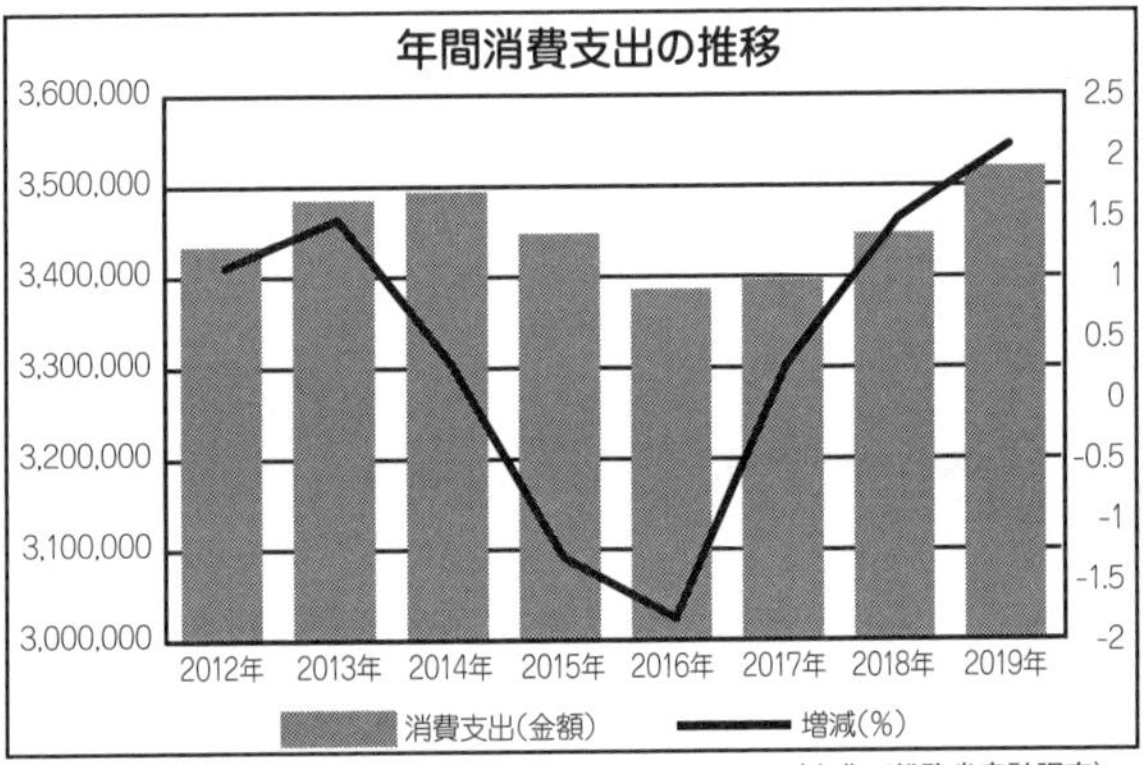

（出典／総務省家計調査）

当人がそもそも財務省出身だ。元財務官僚の高橋洋一氏によれば、黒田総裁のDNAには、「Z（財務省）」、「セントラルバンカー」（中央銀行総裁）、「天邪鬼《あまのじゃく》」の三要素があるとのことである。なかでも、最も強い形質を発現しているのはZの要素だ。

その証拠に、次の発言を挙げておく。黒田総裁は2018年4月3日の衆議院財務金融委員会で、政府債務残高が「極めて高い水準」にあるとの認識を示し、「政府が中長期的な財政再建、財政健全化について市場の信認をしっかりと確保することが極めて重要」と発言した。

本来、財金分離の建前から考えれば、日銀総裁が国の財政について口出しすることはご法度《はっと》である。しかし、わざわざ中央銀行の総裁として財政再建、財政健全化を強調した。まさに、Zの遺伝子の発現とみて間違いない。

そもそも、日銀が物価目標をプラス2％に定めたのは2013年4月である。その手段として「量的・質的金融緩和」（QQE）が導入された結果、日本経済は飛躍的な復活を遂げた。少なくとも、この政策によって物価が連続的にマイナスになる最悪の状況を脱したことだけは確かだ。

現在、アベノミクスの成果と呼ばれているものの約8割は、金融政策（一本目の矢）

に依存していると言っても過言ではない。

しかし、客観的な状況を考えてほしい。たしかに、日銀の政策によって物価がプラス転換したことは喜ぶべきことだが、それだけではまだ足りない。マイナスに二度と戻ることがない「のりしろ」を確実に確保しなければ、小さな経済的ショックでも日本経済はすぐにデフレに逆戻りしてしまうだろう。これでは、日本国民は安心して経済活動のリスクを取ることができない。

特に、企業経営者にとって「貸し剝《は》がし」のトラウマは相当なものだ。一手指し間違えればデフレという状況下で、わざわざ銀行からお金を借りて投資する必要はないと考えて当然だろう。

２０１４年の消費税増税前、財務省は増税の影響は軽微だし、あったとしても短期で終わると豪語していた。しかし、これは嘘だった。先ほど確認した消費支出のデータを見れば、それは明らかだ。増税の悪影響により、日本経済は２０１６年まで一時的な足踏みを余儀なくされた。もちろん、それでも民主党政権時代に比べれば数段マシだが、ハッキリ言って、する必要のない苦労であり、無駄足だったといえる。ところが、財務省は全くこのことを反省していない。

日銀は消極的にではあるが、消費税の増税が消費を落ち込ませ、日銀の物価目標の達成に悪影響を与えたことを認めている。2016年9月の金融政策決定会合の「総括的検証」において、日銀は物価目標が未達であった理由を次のように述べている。

2%の実現を阻害した要因

しかしながら、2%の「物価安定の目標」は実現できていない。その点については、上記メカニズムのうち予想物価上昇率の動向が重要である。すなわち、(i)①原油価格の下落、②消費税率引き上げ後の需要の弱さ、③新興国経済の減速とそのもとでの国際金融市場の不安定な動きといった外的な要因が発生し、実際の物価上昇率が低下したこと、(ii)そのなかで、もともと適合的な期待形成の要素が強い予想物価上昇率が横ばいから弱含みに転じたことが主な要因と考えられる。

未達の要因として挙げられた3つの理由のうち、2つ目は「消費税率引き上げ後の需要の弱さ」となっている。つまり、増税によって消費が落ち込んだことを公式に認めているのだ。

消費者物価指数の推移（前年比%、2018年3月の統計は前年同月比%）

	総合（CPI）	生鮮食品を除く総合（コアCPI）	生鮮食品及びエネルギーを除く総合（コアコアCPI）
2015年	0.8	0.5	1.4
2016年	▲0.1	▲0.3	0.6
2017年	0.5	0.5	0.1
2018年3月	1.1	0.9	0.5
2018年8月	0.9	0.8	0.3

（出典／総務省統計局）

ところが、財務省は消費の落ち込みは一時的なものであると強弁していた。そして、今ではすべてを武漢肺炎の世界的パンデミックのせいにしている。

とはいえ、消極的ながらも日銀が増税前にやれることをやったということは評価していいと思う。この「総括的検証」を受けて日銀が実施したのは、10年物国債の金利をゼロ%にするという「イールドカーブ・コントロール」と、物価目標を達成したあともしばらく金融緩和を続けるという「オーバーシュート型コミットメント」だった。その結果、物価は何とか持ち直した。客観的な数値を確認しておこう（上表）。

日銀が「物価」と言った場合、それが指すのは総務省が発表している消費者物価指数のことである。ちなみに、消費者物価指数には、すべての商品を対象としたもの（ＣＰＩ）、生鮮食品だけを除いたもの（コアＣＰＩ）、生鮮食品とエネルギーを除いたもの（コアコアＣＰＩ）の三種類がある。日銀がこの三種類のうち、どの指数が「物価」を指しているかは明らかにしていない。

しかし、他国の中央銀行の物価目標は、通常日本でいうところのコアコアＣＰＩで設定されていることが多い。なぜなら、生鮮食品やエネルギー価格は天候不順や中東情勢などによって乱高下《らんこうげ》するため、正しく物価の趨勢《すうせい》を表さない可能性があるからだ。

コアコアＣＰＩで見る限り、２０１６年の日銀による政策強化は、じわじわと物価の上昇には効いたようだ。しかし、コロナショックですべては水泡に帰した。とはいえ、緊急経済対策の財源として約60兆円の国債を引き受けたことは評価する。ただし、この国債がほとんど短期国債だったことは大いに問題だ。なぜ財務省はこれを十年国債にして日銀が長期的な金融緩和にコミットできるように協力しなかったのか？

そもそも、なぜ財務省は事あるごとに日銀の目標達成を邪魔して、日本経済復活の足を引っ張るのか？　その理由は定かではない。一説によれば、彼らは権益の拡大と保身にしか関心がなく、日本経済などどうでもいいと思っているという。

また、ある説によれば、外国のスパイが紛《まぎ》れ込んでいて日本経済を弱体化させようとしているともいう。

その他にも、単に先輩が犯した過ちを否定できないだけかもしれないとか、安定志向のエリートなのでメンタル面が弱すぎてリスクが取れないとか、いろいろなことが言われている。真相は分からない。

ただ、その理由は不明でも、財務省が日銀の物価目標達成を邪魔して、二度とデフレに戻らないための「のりしろ」を潰《つぶ》してきたことは事実である。2014年の消費税増税さえなければ今頃、物価目標は達成され、日本経済はデフレを完全脱却していた。景気が良くなれば税収は増える。税収が増えれば増税は不要だ。これは国民にとっては大変喜ばしいことだが、財務省にとってはそうでないらしい。

公務員というのは公僕であり、国民に奉仕すると思ったが、どうも財務省は違うようだ。彼らは自分たちを公僕ではなく、特権階級と勘違いしているのだろうか？　だからこそ、国民に対して嘘をついてもいいし、女性記者にはセクハラし放題と思っているのだろう。大変困ったことである。

4235億円の国有財産が塩漬けに

財務省の勘違いは国有財産にも及んでいる。国有財産検索サイト（http://www.

kokuyuzaisan-info.mof.go.jp/kokuyu/）によれば、財務省が管理する国有財産のうち未利用のものは全部で３４４５件（総面積９６９万５２６㎡）存在している。単純合計で、総額４２３５億円だ（平成30年８月20日現在）。

この中にはすでに高層化などで不要となった公務員官舎の跡地や、税金のカタに物納された土地など様々なものが含まれている。本来ならこれらの土地は競争入札などによって積極的に払い下げ、民間に使わせるべきだ。なぜなら、その土地を利用することで民間企業が儲けを出せば、そこから一定の割合で税金が入ってくるからだ。国が保有したまま利用しなければ、その土

未利用国有地の推移（台帳価格）

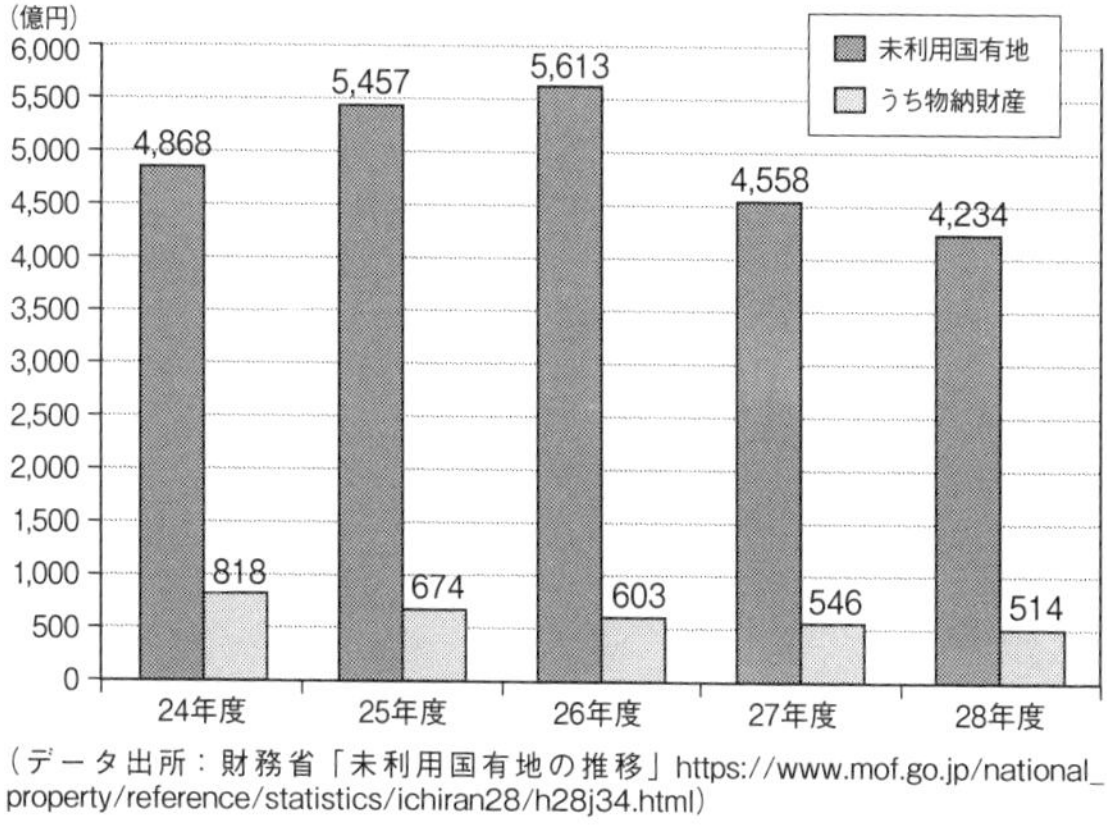

（データ出所：財務省「未利用国有地の推移」https://www.mof.go.jp/national_property/reference/statistics/ichiran28/h28j34.html）

地から税収は生まれない。財務省が財政危機を叫ぶのであれば、不要な未利用地は一刻も早く払い下げるべきだ。未利用国有地の売却は小泉内閣の頃大きく進み、総額で6000億円台から4000億円前後まで減っていた。しかし、それ以降の進捗《しんちょく》は思わしくない。前ページのグラフは民主党政権末期から安倍政権にかけてのものだが、現状は小泉内閣時代よりも少し多い水準だ。

確かに、未利用国有地の売却は進んでいるのかもしれないが、全体的にそのペースはかなり遅いと言わざるを得ない。ノンフィクション作家の鬼島《きじま》紘一《こういち》氏がその著書『告発』で示した通り、この手の大口の土地の払い下げにはいつも談合の影が付きまとう。まさか、談合待ちで売却が遅れているとは思いたくないが、実態はどうなのだろうか？

財務省も国有地売却のペースが遅いことは認識しているようだ。なんと財務省の公式ホームページで、国有地を使った詐欺に注意するよう呼び掛けているのだ。

当局においては、未利用国有地を一般競争入札によらず個人や特定の民間企業に対して直接随意契約で売払うことはありませんので、十分ご注意頂くとともに、その国有地を管理する財務局・財務事務所・出張所へご照会・ご確認頂くようお願いします。

また、国有地以外の土地を当局が売払うこともありませんので、あわせてご注意ください。


確かに、東京の都心のど真ん中に、フェンスに囲まれた広大な未利用地を発見することがよくある。これらは競争入札により売却されるのであろうが、あまりにも放置されている期間が長い。そのため、詐欺のネタになっているのだ。全く笑えない話だ。

なぜ国有地の売却が進まないのか？　私は3つの仮説を立ててみた。

1．財務官僚は自分たちが大地主だと勘違いしている
2．即時売却を進めるためのリソースの不足
3．土地の値崩れを避けるため小出しにしている

1は単なる特権意識、2はやる気の問題、3は小役人的な気質ともいう。

関東財務局　● 本文へ　● 携帯版サイト　⁂ サイトマップ　● トップページへ　Google カスタム検

総合案内	広報・報道発表	調達情報・資格審査	採用情報	金融・証券
地方創生・地域連携	財政	経済調査・統計	たばこ・塩・交付国債・通貨等	国有財産

関東財務局ホーム > 国有財産 > 国有財産の物件情報（売却・貸付） > 重要なお知らせ（ご注意ください！） > 国有地の
意

印刷用ページ

国有地の取得に関する架空の話にご注意

当局においては、未利用国有地を一般競争入札によらず個人や特定の民間企業に対して直接随意契約で売払うことはありませんので、十分ご注意頂くとともに、その国有地を管理する財務局・財務事務所・出張所へご照会・ご確認頂くようお願いします。

また、国有地以外の土地を当局が売払うこともありませんので、あわせてご注意ください。

○ 多数の情報が寄せられている架空話

財産区分	所在地	数量	事例	連絡先
国家公務員宿舎（合同宿舎「百人町住宅」）	新宿区百人町３丁目４２０番１６（住居表示：新宿区百人町３丁目２７番１号）【合同宿舎「百人町住宅」】	5,765．28 平方メートル	当該国有地を買受け出来るかのような架空の話を持ちかけられたとの情報があります。	東京財務事務所 第７統括国有財産管理官 ０３（５８４２）７０２６（ダイヤルイン）
国家公務員宿舎（合同宿舎「百人町第２住宅」）	新宿区百人町３丁目４２０番７ほか（住居表示：新宿区百人町３丁目３２番１号）【合同宿舎「百人町第２住宅」】	2,555．92 平方メートル	当該国有地を買受け出来るかのような架空の話を持ちかけられたとの情報があります。	東京財務事務所 第７統括国有財産管理官 ０３（５８４２）７０２６（ダイヤルイン）
国家公務員宿舎（合同宿舎「西戸山住宅」）	新宿区百人町３丁目４２０番３３ほか（住居表示：新宿区百人町３丁目１９番１号）【合同宿舎「西戸山住宅」】	11,985．11 平方メートル	当該国有地を買受け出来るかのような架空の話を持ちかけられたとの情報があります。	東京財務事務所 第７統括国有財産管理官 ０３（５８４２）７０２６（ダイヤルイン）
国家公務員宿舎（合同宿舎「東郷台住宅」）	渋谷区神宮前１丁目３番９（住居表示：渋谷区神宮前１丁目３番６号）【合同宿舎「東郷台住宅」】	約6,123 平方メートル	当該国有地を買受け出来るかのような架空の話を持ちかけられたとの情報があります。	東京財務事務所 第７統括国有財産管理官 ０３（５８４２）７０２６（ダイヤルイン）
国家公務員宿舎（合同宿舎「西大久保住宅」）	新宿区大久保３丁目１７０番１のうち（住居表示：新宿区大久保３丁目３番１号）【合同宿舎「西大久保住宅」】	10,873．81 平方メートル	当該国有地を随意契約にて買受け出来るかのような架空の話を持ちかけられたとの情報があります。	東京財務事務所 第７統括国有財産管理官 ０３（５８４２）７０２６（ダイヤルイン）

（出典：財務省　http://kantou.mof.go.jp/kokuyuuti/kakuu.htm）

1は説明の必要もなかろう。

2については、本気で売却を進めたいなら、それに必要なスタッフをそろえて事務手続きをどんどん進めなければならない。もしスタッフが足りないならネットオークションでもやればいい。しかし、役所の入札は旧態依然たる手続きが必要だ。この点はまだ改善の余地がある。

3は森友学園問題という大いなるフェイクニュースの原因になった気質だ。財務省がなるべく国有地を小出しに売却するのは、それが周辺の土地相場に影響を与えるからだ。実は、バブル崩壊以降、日本の土地の値段は下がり切っていない。もし、財務省が一等地の競争入札を一気に進めてしまったら、売り物が増えて土地の値段が下がってしまう。土地の値段が下がると、地方自治体の財源を支える固定資産税の評価額も下がってしまう。これは何としても避けたい。だから、ゴミが埋まっていることが確実な土地を騙して10億円で売ろうとしたのだ。しかし、そんな怪しい話に引っかかってくる奴は、当然怪しい奴だ。おかげで安倍政権は全く根拠のない無実の罪を着せられ、財務省は文書改竄《かいざん》という違法行為に手を染めた。本末転倒である。

しかし、本来土地はそれを有効活用できる人に渡すのが、経済学的に一番正しい。

その土地を活用して儲けを出せば、税収も増える。もともと価値のない土地の評価額だけを無理やり上げて、税金を搾《しぼ》り取るような真似は間違っている。土地の価格形成はマーケットに任せるべきだ。国有地を保有し続けることで、市場をコントロールしているとしたら、これもある種の社会主義的な統制経済ではないだろうか？　まさにこれは1の特権意識に直結する問題だ。特権をひたすら強化するのが彼らの仕事なのだ。消費税増税もその文脈で考えれば分かりやすい。

巧妙な手口「国際機関二人羽織」

消費税増税は今後何度も蒸し返されるだろう。すでに財務省の増税キャンペーンは、手を替え品を替え始まっている。公文書改竄、セクハラ問題など意に介さず、水面下では様々な動きが出てきている。

その一例として、「国際機関二人羽織《ににんばおり》」という巧妙な手口を紹介しよう。

武漢肺炎の大流行が始まって間もない2020年2月25日、国際通貨基金（IMF）は2019年の報告書を公表した。その中で日本に対し、医療や介護などで増える社会保障費を賄うため、2030年までに消費税率を15％に上げる必要があると提言してきたのだ。
ＯＥＣＤの加盟国の消費税率の平均は19％程度なので、日本も早くそれぐらいの水準にすべきだとの趣旨だろう。
しかし、この話にはトンデモない裏がある。２０１８年4月、ＯＥＣＤのグリア事務総長から同様の提言があった際に、ＯＥＣＤに勤務経験のある元参議院議員の金子洋一氏は、次のように暴露した。

来日中のＯＥＣＤ事務総長が「消費税は19％に」と発言しました。私もＯＥＣＤに勤務していましたが、事務総長を支える事務次長が財務省出身の河野正道氏なので、この発言は要するに「財務省によるステマ」なのです。きちんと「広告」とか「提供は財務省」と表示しなければね。

(https://www.facebook.com/yoichi.kaneko/posts/1656450954422151)

まさに手の込んだ自作自演。もちろん、ＩＭＦにも財務省からの出向者がいて、日本経済の分析を担当している。おそらく今回も同じ手口だ。国際機関からの提言に弱い日本人をターゲットにした、極めて悪質なステルスマーケティングである。

ちなみに、先進国の消費税率の平均値はたしかに19％であるが、消費税収が歳入全体に占める割合は概《おおむ》ね3割前後だ。日本以外の先進国においては、食料品や衣料品などが消費税の減免や免除対象となっているため、税率を19％ぐらいにしないと歳入の3割を消費税で稼ぐことはできない。

これに対して日本の場合、消費税の減免の対象となる商品は食品となぜか新聞のみであり、軽減税率もたったの2％である。そのため、他の先進国よりも低い8％の税率でも、消費税はすでに税収全体の約3割に達している。つまり、歳入全体に占める消費税収の割合で見れば、日本はすでに「打ち止め」状態なのだ。

ところが、ＩＭＦもＯＥＣＤもこの肝心な部分を一切説明せず、「税率を先進国並みに上げろ」という極めて雑な提言を行った。むしろ、国際機関は被害者ではないのか？　こんな雑な提言をするように振り付けした「背後にいる者」こそが問題なのだ。まさにそれが日本の財務省なのである。

もちろん、財務省の主張が正しく、日本の財政が危機的状況にあり、増税によってその問題が解決するのであれば文句はない。ところが、財務省の主張は間違っている。

国と地方の負債を合わせれば確かに１４９２兆円（２０１９年3月末現在）にもなるが、政府と日銀の資産を合わせせると、１４６９兆円にもなる。純負債はたった23兆円だ。日本のＧＤＰ５００兆円に比べて、これは大した金額ではない。

それでも、財務省は学者や政治家を使った二人羽織で財政危機を強弁する。これがいわゆる御用学者と「政策通」問題だ。「政策通」とは官僚の代弁をしてくれる政治家のことであり、決して政策について正しい知識を持っているわけではない。

その代表格は自民党の岸田文雄前政調会長であろう。

岸田氏は２０１７年9月の報道各社のインタビューに対して、来年10月の消費税率10％への引き上げの決定は「市場や国際社会で、我が国の信頼を確保することを考えれば引き上げは不可欠だ。確実に行っていくべきだ」（『毎日新聞』２０１７年9月5日）と述べている。背後に邪《よこしま》な「気」を感じるのは私だけではないだろう。

２０２０年の総裁選でも石破茂氏が、世論の反発を気にして増税に及び腰になったのとは対照的に、岸田氏は財政再建路線で全くブレなかった。

それもそのはず、岸田氏は石破氏とは〝血〟が違うのだ。岸田氏自身は財務官僚出身ではないが、親戚縁者は多くが財務省の関係者だ。かつて大蔵大臣を務めた宮澤喜《き》一《いち》氏の甥の元大蔵官僚、衆議院議員の宮澤洋一氏は、岸田氏の従兄弟《いとこ》に当たるという。まさに、Ｚの遺伝子を継承する者と言っていいだろう。

財務省はたくさんの政治家だけでなく、学者、産業界、ＮＰＯなどにも二人羽織ネットワークを広げている。学者は審議会などのポスト、企業は租税特別措置（税の軽減）、ＮＰＯは補助金などで財務省のお世話になっている。そういう業界に浸透するのはたやすいことだ。

マスコミもグルだった

その広がりの凄さを見せつけたのが、２０１３年9月に開かれた消費税増税に関する集中点検会合だ。ここに集められた約60名のうち約40名が、事前に財務省に振り付けられていた人物だったそうだが、蓋《ふた》を開けてみれば60名中、消費税増税賛成は44名で、新聞、テレビは「有識者の7割が増税賛成」と大々的に報じている。そう、マスコミもグルだったのだ。

日本テレビの夜のニュース番組『ＮＥＷＳ ＺＥＲＯ』のキャスターを務めた村尾信尚《のぶたか》氏などはその典型だ。村尾氏は、１９７８年から２００２年まで財務省に勤務していたキャリア官僚である。番組のなかで村尾氏が常に増税に対してポジティブな発言を続けた理由は、あえて述べる必要もないであろう。

村尾氏は特殊な職歴だが、他のマスコミも基本的には財務省に飼いならされている。インターネットが発達したことによって、一般人が各省庁のサイトに簡単にアクセスできるようになった。公開情報について、マスコミ記者と一般人の情報格差はゼロである。

では、彼らは何で差をつけるのか？　記者クラブ、夜討ち朝駆け、オフレコ記者懇談会によって、表に出ていない情報を誰よりも早く記事にすることで、辛うじて差をつけているのだ。しかし、これには危険が伴う。官僚はわざと情報をリークすることで、世論をコントロールしようとするからだ。

以前、発覚した財務省のセクハラ問題は、まさにこういった〝闇情報〟をやり取りする密室のなかで発生した。記者には情報を貰っているという負い目があるからこそ、被害を受けたテレビ朝日の女性記者の上司はこの問題を握りつぶそうとした。被害者本人が財務省との密約を破って週刊誌にネタを持ち込んだことで、逆に密室での情報のやり取りの実態が白日の下に晒《さら》された格好だ。

その後、財務省はオフレコの記者懇談会を開かなくなったというが、ほとぼりが冷めたら復活しそうだ。財務省としても、増税プロパガンダの一翼を担《にな》うマスコミは飼いならしておきたいはずだ。きっと何か新しいことをやってくるだろう。その予兆を感じさせる記事が、2020年9月21日の日経新聞社説にあった。

［社説］財政再建の道筋を示す責任がある

菅政権に望む

日本経済は新型コロナウイルスの感染拡大で深い傷を負った。当面は財政出動と金融緩和を継続し、個人の生活や企業の経営をしっかりと支えざるを得ない。だが巨額の借金や異例の低金利に頼った経済運営に、持続性がないのは明白だろう。菅義偉首相には財政・金融政策の正常化に向けた道筋を示す責任もある。（中略）

菅首相は就任前に、今後10年間は消費税増税を封印する考えを示した。確たる根拠もなく、そう言い切るのは無責任ではないか。

旧民主党政権が自民・公明両党と社会保障・税の一体改革を打ち出した12年以降、

日本は抜本的な歳出・歳入改革の見取り図を描いてこなかった。コロナ禍ですぐには実行できなくても、いまのうちに必要なメニューの構想を練り、国民に問うべきだろう。（https://www.nikkei.com/article/DGXMZO64105570R20C20A9SHF000/）

武漢肺炎のパンデミックによって我々は経済活動に大幅な制約を受けたため、消費は低迷し、企業業績は悪化した。政府が何もしなければ、多くの企業は倒産し失業が増えただろう。紆余曲折はあったが政府の対策は結果的に奏功したと思う。倒産件数も、失業者の増加も何とか抑え込んでいる。

ところが、日経新聞はこの騒動の最中に財源の心配をしろという。まだ世界的なパンデミックは収まっていないし、経済活動の停滞もいつまで続くか分からない。今は財源のことなど考えず、徹底した財政出動と金融緩和を行うべき時期だ。財政再建は緊急事態が終わってから考えても遅くはない。

ところが、日経新聞は危機感を煽り、世論を増税へとミスリードしていく。一体だれを忖度してこんなことをしているのか？　それほどネタ元として財務省が大事なのか？　理解に苦しむ内容だ。

そもそも、日本のような自国通貨建ての債務を持つ国が財政破綻するのは難しい。なぜなら、自国通貨建ての債務は最悪の場合、自国通貨を大量に印刷して返済することが可能だからだ。もし、日本が破綻することがあるとしたら、返済の際に大量発行した通貨のせいでインフレが起こり、円が大暴落して国債の買い手がつかなくなる時だろう。しかし、そのような状況になるまえに、必ずインフレ率は1%を通過し、次に2%を通過し、次に3%を通過し……国際会計基準の定めるハイパーインフレの定義の30%を通過し……古典的な経済学の定義の1万3000%に到達する。

しかし、物価には粘着性があり、ある朝起きたらインフレ率が1%から1万3000%にジャンプすることはない。だから、政府と日銀がインフレ率3%を超えてから、30%、1万3000%に到達するまで指をくわえて見ていない限り、例えばインフレ率が1%から2%に到達した時点で気付くことができる。インフレ目標の2%を超え、3%の後半に達した時点でお金を刷ることを止めれば、即座に物価の上昇は頭打ちとなる。一度、インフレ傾向になると岩石が転がり落ちるようにハイパーインフレになるまで止まらないという通称「岩石理論」は間違いだ。1970年代の南米では、数千%にもおよぶインフレが進行したが、金融引締めによって数年でインフレ率を1桁まで抑え込むことができた。それほど金融政策は強力なのだ。

社会保障の財源が心配なら、日本がもっと稼げる国になるようにすればいい。消費税の税率を上げても稼げるようになるはずがない。日本人がもっと稼げるようにするには、岩盤規制を撤廃し、人々の新しいアイデアを形に変えやすい環境を整備することが先決だ。さらに言えば、消費税を増税して人々の購買意欲を削ぐような真似はやめるべきだ。モノやサービスが売れて、景気がよくなれば大方の問題は解決する。増税によって問題が解決する保証はどこにもない。しかも、社会保障の財源として消費税を目的化するのは悪手である。社会保障は本来保険で賄うものであり、負担する人と給付を受ける人が一体であるからこそ規律が働くのだ。負担する人と給付を受ける人が別々になったら、そのモラルが崩壊し、際限なく給付が膨らむ。結果として社会保障システムは本当に破綻してしまうかもしれない。歴史上、消費税を社会保障財源とした国が存在しない理由はまさにこれだ。

財務省という鬼は消費税の税率を上げることで、軽減税率という金棒を手に入れた。そして、新聞社をこの金棒でぶん殴って配下に置き、世論をミスリードし続けている。経理部が威張っている会社が伸びるわけがない。日本の行く末が本当に心配だ。

第3章

農業

本当は世界最強の日本農業

写真：鎌形久/アフロ

「減反廃止」というインチキ政策

これほどまでに豊かになった日本で、なぜ未だにコメの値段が高く、バター不足がたびたび発生するのか？　そこには信じられない岩盤規制が横たわっている。

非常に残念なことだが、農業の特定分野において、社会主義計画経済が行われている。ソ連崩壊で人類が学んだことは、社会主義というシステムが極めて非効率であり、人びとを貧しくするということだった。とっくに滅びたソ連の幻影が、今なお日本の農業分野において徘徊《はいかい》している。そして、その幻影は私たち一般庶民の生活を圧迫しているのだ。

その背景には、日本にはびこる強固なイデオロギーの存在がある。

「農業は保護しなければならない。なぜなら食は国の本だから」

これは、一見正しそうに見えるが、完全に間違った議論だ。農業はビジネスである。保護が必要なビジネスなど、そもそも儲からないのでやめてしまえばいい。農業はすでに高度なエンジニアリング産業になっている。そして、日本の農業は強い。正確に言うと、日本の専業農家が強い。むしろ、保護などいらない。そういう攻めの農業こそが、いま求められているのだ。

ところが、日本の農政はそういう「攻撃型農業」の担《にな》い手である専業農家を大事にしない。攻撃よりもむしろ守りに徹した兼業農家のうち、特に小規模な農家に最適化した政策を推進している。そのため農業には様々な岩盤規制が存在する。

これは戦後すぐの食糧不足を解消するためにできた、食糧管理制度の名残《なごり》である。そして、長くコメ農家は社会主義的な統制経済の下《もと》に置かれていた。確かに、この制度はコメが主食でコメが不足していた時期には意味があったかもしれない。しかし、そんな時代は長くは続かなかった。高度経済成長期を経て日本が豊かになると、コメはすぐに余るようになった。

にも拘《かかわ》らず、政府は小規模な兼業農家、あえて言えば家庭菜園に多額の補助金をつぎ込んできた。大義名分は食料安全保障だが、実際のところは自民党政権が彼らを票田とし、補助金によって集票していた面が大きい。しかし、それが皮肉にも日本のコメ農家を弱体化させることになったのだ。極めて罪深いことだと思う。

現在、大半の兼業農家は、農業収入だけで一家を養うことができない。兼業とはいっても、農業がサイドビジネスで、メインの収入は地元の役所や企業などに勤めることで得ている。彼らがサイドビジネスとして農業を続ける理由の一つは補助金だ。コメ農家への補助金の大義名分は、生産調整である。政府が生産量を調整し、その政策に同調する農家にはご褒美としての補助金が配られるのだ。その仕組みと歴史的経緯は次のようなものだ。

米の価格は、高校の政治・経済の教科書で教えるとおり、需要と供給で決まる。これは他の物と同じである。需要、つまり消費が増えれば上がるし、減れば下がる。供給、つまり生産が増えれば下がるし、減れば上がる。簡単な経済学である。

米の消費は長期的には減少している。この数年間をとっても、横ばいか微減である。米の価格を上げるような消費の増加はない。

生産はどうだろうか？　今年産米の作況指数は100で平年作である。作柄《さくがら》で見ると、米の価格は上がるはずがない。つまり市場だけの要因で見る限り、米の価格は上がるはずがないのである。

そうであれば、なにか人為的な要因で米の価格が操作されていることになる。それが政府による減反《げんたん》政策に他ならない。

減反政策とは、農家に補助金を与えて米の生産＝供給を減少させ、米の価格を上げて、農家の販売収入や農協の販売手数料収入を上げようとする政策である。

農家は補助金を受けたうえで米価も上がるという利益を受ける。逆に一般の国民や消費者は、納税者負担と消費者負担の増加という二重の負担をすることになる。

その際、単に米の生産を減少させるのでは、国民にまったくメリットのない、後ろ向きの政策だというイメージを与えるので、米の代わりに国内生産による供給が不足し、輸入に依存している麦や大豆などの作物を植えさせ（「転作」という）、食料自給率を上げるのだというもっともらしい看板を付けたのである。（山下一仁「米の値段はなぜ上がるのか?-」http://www.canon-igs.org/column/macroeconomics/20180111_4671.html）

政府がコメ価格を統制するための生産調整手段だった減反政策。しかし建て前上は、2018年に減反は廃止されたことになっている。

実際には何が起きているのか？　なんと、政府は食用米から家畜に食べさせる飼料米に転作することに対して補助金を増額したのだ。つまり、兼業農家はいまでもコメを作っている。飼料米という種類の違うコメがそれだ。そして、コメを作ることで未だに補助金をもらっている。残念ながら「減反廃止」の内実はこれなのだ。

こんなインチキな政策を行ったせいで、食用米の生産調整が行き過ぎて、コメ価格は高止まりしている。それは間接的に飼料米の補助金を消費者が負担しているのと同じことだ。まさに岩盤規制ここにありという感じではないか。

300億円の税金を使って、消費者を苦しめる

農業における岩盤規制は酪農《らくのう》にも及んでいる。例えば、たびたび発生するバター不足という奇妙な現象をご存知だろうか。最近では2020年春に発生している。とても奇妙なことにスーパーの店先には牛乳が山積みなのに、なぜかバターだけが不足するのだ。確か、バターは牛乳から作るはずだが、なぜこんなことが起こるのか？　まるでガソリンは山積みだが灯油が不足しているような違和感。農業ジャーナリストの浅川芳裕《よしひろ》氏によれば、その理由は次のようなものである。

一言で言えば、バター生産の〝北海道一極集中化〟という〝生産統制〟の弊害で

す。そして、一極集中化を支えているのが〝加工乳補助金〟という仕組みなのです。

（中略）

この仕組みの名目は、生産性の高い北海道から都府県に流れる牛乳の量を規制することで都府県の酪農家を保護することになっていますが、実際には、北海道に加工工場がある乳業メーカーに便宜を図って優遇することで、バター生産を北海道に寡占《かせん》化させる結果となっている。今回のようなケースで、消費・実需サイドが多様な調達源を失うリスクを高めているのです。（浅川氏談：ハーバービジネスオンライン「バター不足の怪」所収https://hbol.jp/15641）

日本において、生産された生乳は全国に10ある指定団体が買い取り、そこから乳業メーカーに卸《おろ》されている。そして、指定団体はすべてが農協である。しかも、酪農家は生乳を全て指定団体に売った場合に限り、補助金を受け取れるルールになっている。独占の放置、あるいは社会主義的な生産システムといって差し支《つか》えないだろう。

「加工原料乳生産者補給金等暫定措置法」によれば、生乳生産量のうち5割以上を加工乳に回している都道府県の酪農家に限り補助金が支給されることになっている。し

加工原料乳生産者補給金制度の仕組み

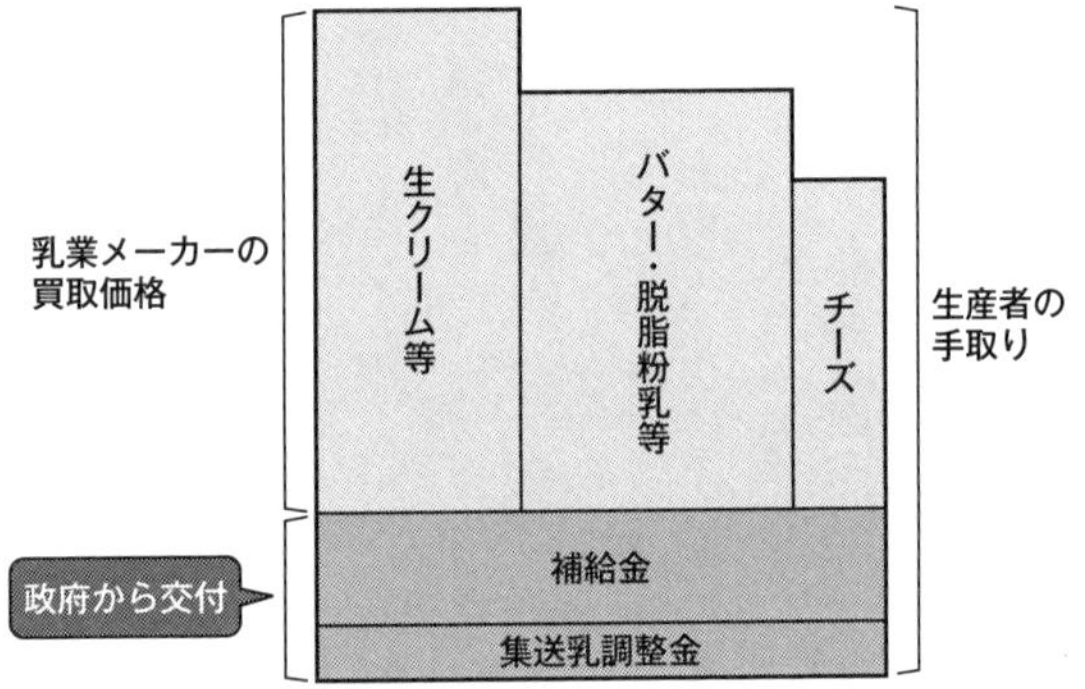

（出典：農畜産業振興機構　http://www.alic.go.jp/r-keiei/raku01_000423.html）

かし、実際にそんな大量の牛乳を加工に回せる都道府県は北海道しかない。２０１８年３月の時点で北海道の脱脂粉乳《だっしふんにゅう》・バター等向け生乳の全国シェアは78％に達している。飲料用乳のシェアにおいて北海道は21％しかないので、その偏《かたよ》りは明らかだ。

　この圧倒的なシェアは、補助金によって下駄をはかせてもらったことにより生じたものだ。その結果、北海道地域以外でのバターの生産は、割の合わないビジネスとなってしまった。そのため、日本全体でバターを生産する業者が増えず、北海道が少しでもバターの生産量を減らすとたちまちバター不足に陥《おち》るという歪《いびつ》なマーケットが形成されてしまった。毎年約３００億円の税金を使って、消費者＝納税者を苦しめる制度が維持されていたのだ。そして、この補助金をほぼ独占していたのが、北海道の酪農を仕切るホクレン農業協同組合連合会である。

では、国産バターの寡占状態を打ち破るためにバターの輸入を増やすことはできるのだろうか？　実はそれもできない。なぜなら、日本のバター輸入は、独立行政法人の農畜産業振興機構（ＡＬＩＣ）という農水省の天下り団体が独占しているからだ。彼らがバターの輸入を独占できる理由は、国内酪農家の保護という大義名分による。ＡＬＩＣは海外業者からバターを買い付ける際に入札を行い、最も安い価格をつけた業者からバターを買う。しかし、買い付けたバターを国内向けに再販する時には、この入札で最も高かった価格を使う。

輸入を独占しているので、いわば言い値のマージンを乗せて、バターを右から左に流せるのだ。彼らはこの制度により、毎年巨額の利益を得ている。もちろん、その利益は建て前上、酪農家の保護に使われている。前述の「加工原料乳生産者補給金等暫定措置法」に基づいた「加工原料乳生産者補給金」が、まさにこの機構から交付されている。もちろん、それと併行して、農水省から天下った職員の給与や退職金も支払われていることに注意が必要だ。

とはいえ、2000年以降の度重なるバター不足の発生で、この制度は批判の矢面《やおもて》に立たされた。そして、2016年には一応の「牛乳自由化」がなされた。その結果、制度上はホクレン以外の指定団体にも補助金が下りるようになった。2019年度中にホクレンを含む10の組合が指定され全国がカバーされた。しかし、2020年春には再びバター不足が発生している。その理由は、計画経済の失敗だ。指定団体は酪農家との間でむこう1年分の配乳計画を決めるのだが、巣籠り消費で需要が急増したため計画が大幅にハズレてしまった。大体、1年先までぴたりと需要予測を当てることなど人間業ではない。もっとたくさんの業者が独自の立場で予想し、生産できるようにすればいいのではないか。つまり、自由化が必要だということだ。

日本の農業振興は難しくない

既述の通り、農業は高度なエンジニアリング産業となっている。正直に言って、あまりやる気のない人は淘汰《とうた》されるべきだし、補助金に依存しなければ採算が取れないような事業者もいらない。むしろ、そういう人や業者には退場してもらうべきだ。また、貿易の自由化によって、農業の国際的な競争が激しくなる状況下においてはなおさらだ。

しかし、農業を産業として語ると、嫌悪感を露《あら》わにする人々がいる。最も極端なのが、本章冒頭に触れた農本主義的な精神論だ。農業は国土や国柄《くにがら》を形成するものであり、産業として語ることは罷《まか》りならんというのが彼らの言い分だ。そこから治水だの地域コミュニティだの、様々な派生的なメリットが語られる。論点は無限に拡散し、論破することは不可能になる。典型的なトンデモ理論だ。

第1回ノーベル経済学賞を受賞したオランダ人経済者、ティンバーゲンが提唱したフレームワークがある。これはティンバーゲンの定理として知られている。その内容は「N個の独立した政策目標を達成するためには、N個の独立した政策手段が必要」というものだ。

例えば、成長と安定化と再分配の3つの目標を達成するためには、少なくとも3つの政策手段が必要ということになる。これは農業問題を考える上でも有効である。農業をビジネスとして振興することと、治水の有効性を高めることと、地域のコミュニティを維持することに対しては、少なくとも3つの政策手段が必要である。そして、実はこの3つは多少関連しているとはいえ、実はそれぞれ独立した政策課題だ。すべてを農業政策で解決することは、どだい無理な話なのだ。

例えば、最近よく問題になる地方の人口減少だが、農業振興は解決策にならない。農業王国である秋田県の佐竹敬久《のりひさ》知事は２０１４年、「コメ作りをやっていれば絶対に人口は減る」と発言し世間を騒がせた。実はこのことは多くの農業関係者にとって、公然の秘密だったのだ。産経新聞によれば佐竹知事は２０１４年5月12日の定例記者会見で、次のように語ったそうだ。

米作が悪いというんじゃないけども、例えばコメというのは労働生産性がものすごく上がってます。しかし、土地生産性は最も低いんです。土地生産性が低くて労働生産性がものすごく上がるということはどういうことか。人はほとんどいらない。そういうことで、例えば、全体的には農業県ほど人口は減ります。そして農業県の中でコメのウエートが大きいところほど人口減少は著《いちじる》しい。これは統計から出てきます。

秋田の農業を維持していくとすると、コメはもう極限まで減らすという決断すら必要になります。

コメをやってれば絶対人口は減るという、県知事が初めてたぶん言ったでしょう。でもここまで言わないと。実は分かるんですね、数字を見ると。誰もそれは言わなかったです。タブーだったんです。ですからやっぱり、秋田をもう一回そこらへんを見直して、別にコメが駄目だと言っているわけじゃないです。そういうところまで踏み込んだやり方でないと、みんなが危機感を持たない。(https://www.sankei.com/economy/news/140615/ecn1406150002-n1.html)

同記事中で当時の秋田県農協中央会の木村一男会長は「コメ作りを大型化すれば一定の人数で耕作できるので、労働力が余り、地元に働く場所がないと人口が流出するという意味であり、理解できる。農産加工や花、果樹などの割合を増やす必要がある」と述べている。花や果樹というのは農業の中でも規制が緩く、競争が激しい分野だ。コメ作りが社会主義経済だとしたら、花と果樹は自由主義経済と言っていい。いみじくも現状の社会主義的なやり方ではダメだと、農協の関係者ですら気が付いているということが垣間見《かいまみ》える発言だった。

しかし、今や農業はどの分野でも省力化、ＩＴ化が進んでいる。花や果樹を増やしたところで、人口減少の歯止めになるかどうかは分からない。そもそも、少ない人員でより多くのものを生み出すことは悪いことではない。そこに従事する人への分配は増えるからだ。

さらに言えば、産業としての生産性、効率性が上げられる農家は、補助金目当ての家庭菜園だろうか？　それとも農業を本業とするプロの農家であろうか？　答えは自明だ。そして、このことから日本の農業を振興するのはそれほど難しくないことも分かる。大雑把《おおざっぱ》に言えば、やる気のある農家が、やる気のない兼業農家から土地を買うなり、借りるなりして事業を大きくすればいいのだ。

ところが、それはなかなか進まない。前述の通り、国は補助金を出してこれら小規模農家を保護している。そのため、とっくに終わっている家庭菜園レベルの農地が、やる気のある人の手に渡らない。農地を手放してしまうと補助金がもらえないからだ。実は、農業をめぐる問題はすべて、この点に集約されるのである。

諸悪の根源、農本主義的な精神論

私は普段からこのような過激な農業自由化論を主張しているので、当然、農協からは嫌われていると思っていた。ところが、２０１７年、千葉の農協が、こんな私を講演に呼んでくれた。主催者曰《いわ》く、農協の方針とは異なる意見を聞くことで、農業の未来を多角的に考えていきたいとのことだった。その勇気と寛容さを讃えたい。

仕事として引き受けたからには、農協は私のお客様だ。だから私は農協が生き残るために何をすべきかを真剣に考えて提案した。講演のタイトルは「守りから攻めの農業へ～ビジネスモデルで考える農業革命～」とした。

そこでの主張はとてもシンプルだ。どんなに強い権力者でも時代の流れには逆らえない。徳川幕府は２６０年続いたが、やはり最後は時代の流れに勝てなかった。これに対して電電公社は通信自由化の流れに渋々従ったが、ＮＴＴドコモが携帯シェアナンバーワンとなり、今でも生き残っている。農協は最後まで抵抗して徳川幕府になるのか？　それとも力のあるうちに流れに乗ってＮＴＴドコモになるのか？　まずはこのように考えてみることを提案した。

そのためにはまず「農業は国の本」といった農本主義的な精神論を排すべきである。農本主義的な精神論こそ「日本の農業を守る」という劣位思考を生んでいるからだ、と述べた。

劣位思考とは簡単に言うと、相手の土俵で相撲を取ることである。これに対して優位思考とは、自分の土俵で相撲を取ることだ。優位思考の場合、戦いの場所、ルールはこちらが設定する。まさにゲームのイニシアチブ（主導権）を握ったうえで、相手を自分の有利な場所に引き出して徹底的に叩くことができる。

私が農協の講演で話した内容は、概《おおむ》ねこういう論調だった。ヤジが飛んでくるかと思ったが、意外と反応は良く、ほとんどの人が頷《うなず》きながら聴いてくれた。果たしてどこまでこの話を聞き入れてくれるのか？　農協が力を持っているうちに、自ら変わることを選択し、自分でゲームのルールを設定できるかが勝負だ。しかし、身内の話し合いになれば、必ず原理原則を声高《こわだか》に叫ぶ過激派が出てくる。机上の空論である農本主義的な精神論を排して、どこまで現実的なプランを話し合えるかが問題となるだろう。

やはり、諸悪の根源は農本主義的な精神論だ。これは、ほぼ実現不可能な理想論であるから、基本的に劣位思考となる。なぜなら、農業は国土の保全とか日本の文化と結びついていて、国民はどんなコストを払ってでもそれを守らなければならないという枠組みから出られないからだ。世間ではこれを「無理ゲー」（クリアが無理・無謀なゲームのこと）または「スーパーハードモード」と呼ぶ。

実現不可能な目標を自ら設定する時点で、負けは決まっている。まさに、支那事変勃発《ぼっぱつ》時に戦争の泥沼化を煽《あお》った精神論がこれだった。蔣介石を滅ぼして支那大陸に平和を取り戻すまで無限に戦えと煽ったのが朝日新聞である。すでに失敗したやり方を踏襲《とうしゅう》すれば、再び失敗する可能性は当然高い。なぜこの発想を捨てられないのだろうか？

それはおそらく、今の農民が、日本の百姓の歴史から分断されているからだ。江戸時代の百姓は物流業者から市況情報を入手し、より利ザヤの稼げる商品作物を生産した。だから、江戸幕府が成立して１００年も経たないうちに、農村では余剰作物が作られるようになり、都市では消費が爆発する。そして、旺盛《おうせい》な需要は物資の価格高騰を招いた。戦国時代はコメさえ食べられれば幸せだったのに、それから１００年経つとコメだけでは満足できない、贅沢《ぜいたく》な暮らしが当たり前になったのだ。豆腐、だし昆布、砂糖など、グルメには欠かせない食材の値段が高騰し、米価は低迷した。しかし、それは百姓たちのビジネスの観点から見れば、大きなチャンスだった。

例えば、ある商品が足りている地方から足らない都会に運ぶだけで、莫大な利益が得られる。価格差を利用して利ザヤを取る取引（裁定取引）が盛んになり、大規模な物流網の整備が進んだ。また、たびたび発生した飢饉《ききん》ですら、逆にこれをビジネスチャンスとして大儲けした百姓もたくさんいた。例えば、1782年の天明《てんめい》の飢饉では、菱垣廻船《ひがきかいせん》の配下にあった地方廻船問屋が、幕府の規制を無視して独自に江戸までコメを輸送し、莫大な利益を上げた。規制上は幕府の御用輸送業者である菱垣廻船や樽《たる》廻船を使わなければいけないことになっていたが、結局この規制はなし崩し的に撤廃されてしまった。飢饉の発生で食糧不足になっている江戸の人々を、幕府は無視できなかったのである。

そして、一度ルールに風穴があくと、飢饉が終わってからも菱垣廻船の配下には復帰せず、むしろ菱垣廻船向けの荷物を低運賃で引き受けて競合関係になった。自動的に海上輸送運賃の自由化が進むことになる。その結果、廻船問屋は市場ニーズの高い商品をどんどん江戸に運び、空前のグルメブームが発生した。寿司、てんぷら、かば焼きなど現在和食と言われている多くの料理が、江戸時代に爆発的に普及した理由はまさにこれだ。

さらに、グルメブームより少し遅れて今度は旅行ブームも発生している。1830年、いわゆる「お蔭参《かげまい》り」という伊勢神宮参拝ツアーが爆発的にヒットし、数か月間で約２００万人が伊勢神宮を参拝した。その結果、伊勢方面でしょうゆや味噌の原料となる大豆の需要が爆発、原産地の百姓、それを運んだ廻船問屋がぼろ儲けした。

これらの事実が示していることは何か？　いわゆる農本主義的な精神論は、少なくとも江戸時代の百姓の間には存在しなかったということである。基本的に、百姓は市場の動向にとても敏感で、売れるもの、高いものをたくさん作るというアニマルスピリットに溢れていたのだ。生産物の「出口」をイメージできないところに成功はない。今から考えても当たり前の話だ。

逆に江戸時代でも、コメだけにこだわった人々は没落していった。その象徴的な存在が武士と大名である。彼らをダメにした「石高制《こくだかせい》」の足枷《あしかせ》だ。

石高制とは、大名や武士たちの経済は、コメで年貢や俸禄《ほうろく》を入手し、それを売って得た金で必要な生活物資を買入れる仕組みで成立していたことだ。この制度はコメの値段が諸物価の中心となり、米価が上下すればそれにつれて他の諸物価も上下することを前提として成立する。確かに、江戸時代の前半期、つまり元禄《げんろく》時代ごろまでの日本経済にはそういう傾向があった。

しかし、元禄時代の終わりごろから、米価が下落したにも拘らず、それ以外（諸《しょ》色《しき》）の値段は上がったきり、いっこうに下がらなくなった。前述した通り、人々のニーズが変化して、コメを中心とした食生活から、おかずやデザートの充実した生活にシフトしたため、コメを食うだけでは満足できない人びとが増えたのだ。その結果、米価は江戸時代全般を通してほとんど値上がりしなかった。そのため、大名や武士たちはどんどん貧しくなっていったのである。

これは絶対に逆らえない経済の掟《おきて》だ。人々は一度豊かになったら、その生活を手放そうとはしない。米が諸物価の中心だった世の中は、江戸時代初期にとっくに終わっていたのだ。ところが、幕府はたびたびこの流れに逆らって、石高制の有効性を強化しようと無駄な努力をした。これがいわゆる三大改革である。まさに時代に逆行した愚かな試みであり、享保《きょうほう》の改革以外は無残にも失敗している。また、成功したと言われている享保の改革ですら、享保年間には全く成果が出なかった。実際に成果が出たのは元文《げんぶん》年間に入ってからであり、その理由も吉宗が方針転換したことによるものだった（吉宗は約20年間拒み続けた貨幣の改鋳《かいちゅう》を元文期に入ってから了承し、実行したからである）。

なぜ「和牛」は国際的ブランドになったのか？

翻《ひるがえ》って現在の農協の状況を考えてみよう。農本主義的な精神論というのは、まさに江戸時代における石高制の復活と同等の「無理ゲー」だ。時代の流れには逆らえない。こんなことをやっていたら農協は江戸幕府と同じように滅びてしまうだろう。農本主義的な精神論を捨て、純粋に儲かるビジネスとして農業を再構築する。これこそが農業改革の出発点なのだ。

では、今の農業をどう改革すればいいのか？　すでに答えは出ている。コメや酪農など特定分野で未だに行われている、社会主義的な生産調整や補助金を止めることだ。そして、やる気のない兼業農家には市場から退場してもらうことだ。

例えば、１９９１年から行われた牛肉とオレンジの自由化を覚えているだろうか。あの時、テレビのニュースでは、日本の牧畜業とみかん農家はすべて破産すると言わんばかりの勢いで、危機感を煽っていた。しかし、実際に何が起こったか？

なんと、国産牛肉の生産は自由化以降も減らなかった。むしろ、牛肉全体の消費が増え、なおかつ和牛としてブランドの確立に成功したため、畜産農家の所得は増えた。

牛肉の生産・輸入動向

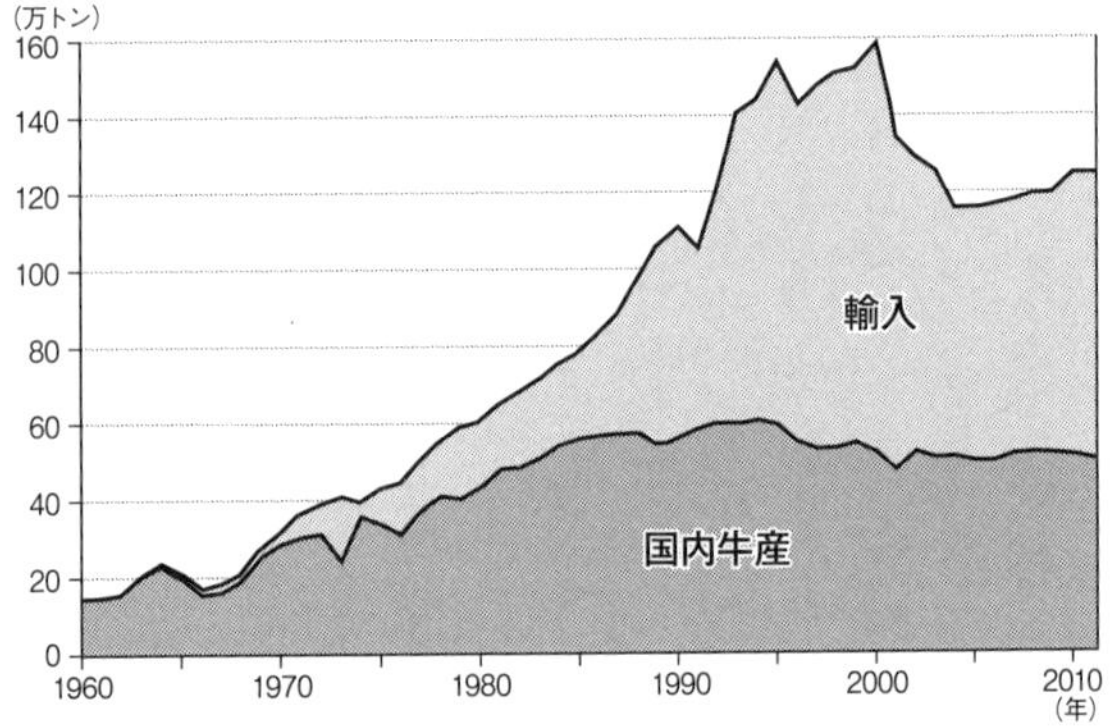

(データ出所:「貿易自由化と日本農業の重要品目」農林中金総合研究所『農林金融』2012年12月号https://www.nochuri.co.jp/report/pdf/n1212re2.pdf)

もちろん、牛肉自由化で多くの畜産農家が廃業したが、生き残った畜産農家が規模を拡大したため、生産量は減らなかったのだ。ご存知の通り「和牛」は国際的なブランドとなり、普通の牛肉とは別次元の単価で取引されている。まさに自由化の勝者と言えるのではないだろうか?

わざわざ輸入牛肉と競合する分野で競争することを避け、手厚いケアで質の良い肉を作ったことが勝因だった。

みかんについても、次ページのグラフを見れば、何が起こったかは一目瞭然だ。

みかんの生産量のピークは1970年代の中ごろで、それ以降はずっと右肩下がりのトレンドが続いている。実は、オ

みかんの栽培面積・生産量の推移

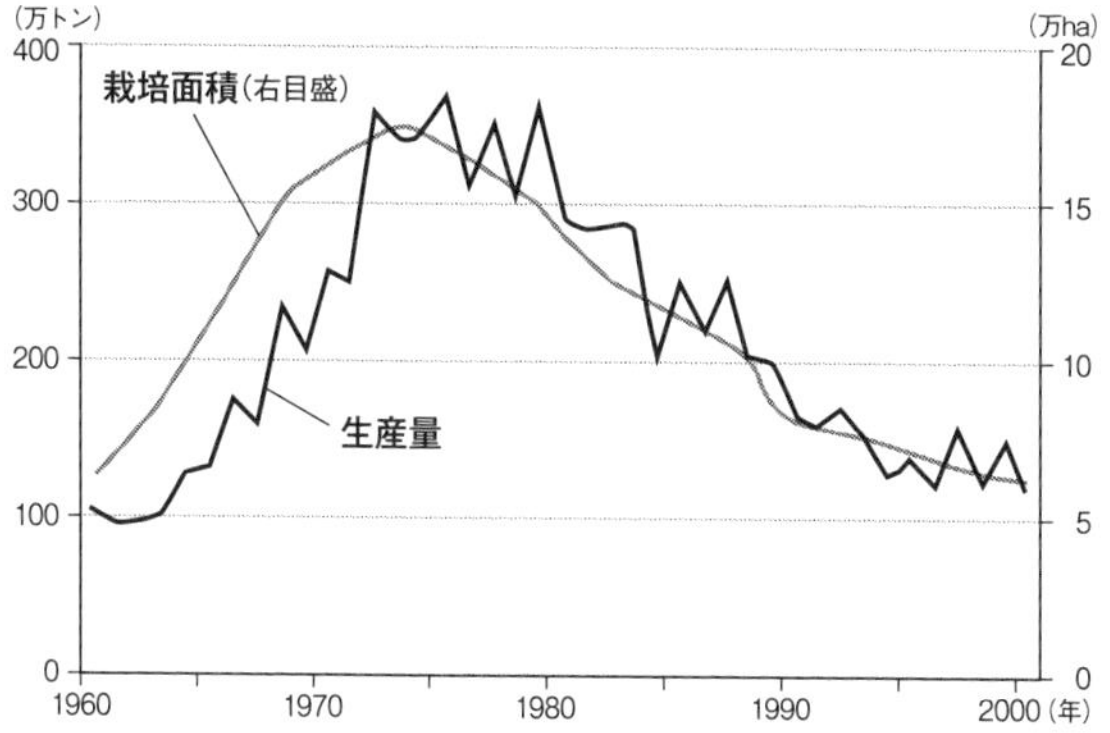

(データ出所:「みかんの需要動向とみかん農業の課題」農林中金総合研究所『農林金融』2002年8月号https://www.nochuri.co.jp/report/pdf/n0208re1.pdf)

レンジ自由化が実施される以前に、みかんの生産量はピーク時から半減していたのだ。だとすると、みかん農家が潰《つぶ》れた理由は自由化ではない。ではその真の原因とは一体何か？

１９６０年代にみかんの生産量が増加した理由こそが、この半減の原因でもある。この頃、日本はまだ貧しく、果物といえばみかんが高級品とされ、飛ぶように売れた。そのため、各地の農家は桑畑を潰して大量のみかんを植えたのだ。それが高度経済成長期と重なり、みかんの消費量は爆発的に増えた。しかし、10年もみかんを食べまくっていれば、当然のことながら飽きてくる。また、１９７０

年代以降、みかん以外の果物も輸入されるようになり、人々の果物に対する趣向も分散するようになった。爆発的に増えた需要は爆発的に減る。いわゆる一発屋の法則を10年単位でやっていたのが、みかん農家だったのだ。少なくとも、オレンジの輸入自由化がみかんの消費を減らしたのではない。もともと一発屋だったのだ。

農業とはビジネスであり、ビジネスにはリスクが伴う。桑畑を潰してみかんの木を植えることが正解である時期もあるし、間違いであることもある。牛肉にしても、戦う分野を間違えて潰れてしまった畜産農家もいるし、戦いを避けて生き残り、今や羽《は》振《ぶ》りのいい畜産農家もいる。商売は常にリスクとリターンだ。現時点で何が正解かは誰にも分からない。だからこそ、自由な発想でいろいろなアイデアを試してみる起業家精神が求められるのだ。つまり、江戸時代の百姓が持っていたアニマルスピリットこそが、今求められているのである。

そして、政府は農家のアニマルスピリットを邪魔しないこと。何よりもこれが重要である。そのためには農業をめぐる岩盤規制を打ち砕いていかなければならない。

第4章

放送・通信

テレビ利権とNHK問題の核心

写真：Quickimage Stock／アフロ

「つまらない」を超えて内容が異常

最近テレビがつまらない。いや、つまらないどころか放送している内容がおかしい。そう感じる人が増えている。いや、そう感じているだけではない。テレビのスイッチを入れない人、見ない人が増えているのだ。

テレビがいかに巨大な既得権でも、テクノロジーの進化には逆らえない。インターネットには無限の選択肢があり、その表現内容も自由だ。すでに40歳代以下の人々の生活において、インターネットの占有する時間がテレビを超えている。

しかし、この現実をテレビ、特に地上波テレビ局は認めたくないらしい。そのため、あの手この手で既得権を維持しようと必死なのだ。

地上波テレビが産業として終わりつつある。かつて、私たちの眼球（アイボール）を毎日数時間単位で奪っていたのは地上波テレビのいわゆるキー局だった。しかし、その状況は大きく変わってきている。長期的な傾向として、テレビを見る人は減り続けているからだ。

Q4　1日あたりテレビ視聴時間（単位：時間）

年代	男性	女性
18～29歳	1.73	2.70
30代	1.82	2.71
40代	1.81	2.63
50代	2.37	3.48
60代以上	3.71	4.37
平均	2.58	3.51

（出典／総務省家計調査）

私が事務局長を務める、一般社団法人放送法遵守《じゅんしゅ》を求める視聴者の会の調査によれば、日本人の1日あたりのテレビ視聴時間は平均で3時間3分36秒だった。単純比較はできないが、2010年にNHKが行った同種の調査によると、その時間は3時間28分だったので、視聴時間は約1割減少していることになる。これを性別、年代別に詳しく見てみよう。

男性40代以下のテレビ視聴時間は2時間以下となっている。全体的な傾向として、男性より女性の方がテレビを30分～1時間程度長く見る傾向がある。また高齢者の方がテレビを長く見る傾向もあるようだ。女性の高齢者のテレビ視聴時間は40代男性の2倍以上という点も興味深い。若い世代は全体的にテレビを見ない傾向に

世代別テレビ視聴時間

	平日		休日	
	テレビリアルタイム視聴	ネット利用	テレビリアルタイム視聴	ネット利用
10代	73.3	128.8	120.5	212.5
20代	91.8	161.4	120.3	228.8
30代	121.6	120.4	166.9	136.0
40代	150.3	108.3	213.3	109.2
50代	202.0	77.1	265.7	82.4
60代	252.9	38.1	320.7	44.6
全体	159.4	77.9	214.0	123.0

（データ出所：平成30年度『情報通信白書』http://www.soumu.go.jp/johotsusintokei/whitepaper/ja/h30/pdf/n5200000.pdf）

あるため、今後も視聴時間は減少していくことになるだろう。

ちなみに、総務省の平成30年度版情報通信白書によれば、２０１７年のテレビ視聴時間は平均で２時間39分となっている。我々の行った調査よりもかなり厳しい数値となった。また年代別の視聴傾向も、視聴者の会の調査と大差がない。具体的な数値は上表の通りだ。

一見すると40代以上がテレビ世代、30代以下がネット世代のように見えるが、実際にはそうではない。この調査では、行為者率という数値が合わせて開示されている。行為者率とは、母集団の人数当たりの利用率のことで、総務省によれば

行為者率

	平日		休日	
	テレビリアルタイム視聴	ネット利用	テレビリアルタイム視聴	ネット利用
10代	60.4	88.5	66.2	92.1
20代	63.7	95.1	67.6	97.7
30代	76.5	90.6	79.4	90.5
40代	83.0	83.5	83.8	84.4
50代	91.7	76.6	93.4	73.3
60代	94.2	45.6	96.7	46.1
全体	80.8	78.0	83.3	78.4

(データ出所：前掲『情報通信白書』http://www.soumu.go.jp/johotsusintokei/whitepaper/ja/h30/pdf/n5200000.pdf)

次のように定義される。

行為者率：平日については調査日2日間の1日ごとに、ある情報行動を行った人の比率を求め、2日間の平均をとった数値である。休日については、調査日の比率。

この行為者率において、40代ではテレビとネットが逆転した。元データを抜粋して上表にしておく。

この事実は世間に、よほどの驚きをもって迎えられたようだ。日経新聞には次のような記事が掲載されている。

40代もテレビよりネット、利用率が初の逆転　総務省調べ

総務省が27日まとめた2017年の情報通信メディアに関する調査によると、40歳代でインターネットの利用率が平日で83・5%と、テレビ（83・0%）を初めて逆転した。休日も同様で、ネットの84・4%に対してテレビは83・8%どまり。10～30代ではもともとネット利用率が高い。総務省は「より上の年代にも、ネットが広く浸透してきた」（情報通信政策研究所）とみている。（『日本経済新聞』2017年7月27日https://www.nikkei.com/article/DGXMZO33505270Z27072018EA4000/）

もはや、テレビの地位は絶対的なものではなくなった。

視聴者の利便性など眼中にない

それを象徴するような出来事が起こりつつある。新型テレビのリモコンはここ最近、大きく変化している。例えば、パナソニックのテレビには「NETFLIX（ネットフリックス）」の物理ボタンがすでに搭載されている。また、ソニーの最新のブラビアに

はＮＥＴＦＬＩＸのみならず、ＹｏｕＴｕｂｅやＵ－ＮＥＸＴなどの各種ネットサービスの物理ボタンが配置されていて、宣伝用のサイトには「豊富なコンテンツをサクサク楽しめる」と謳《うた》われている。（画像参照：https://www.sony.jp/bravia/products／KJ-A8H／#outline）

　このような動きは、放送が通信と融合し、テレビが地上波を見るための機械から、インターネットを経由して様々なサービスにアクセスするための機械に変わりつつあることを象徴している。テクノロジーの進化、ユーザーの利便性の向上は、もはや止められない。

　ところが、日本のテレビ局は結託して既得権益を守ることに必死だ。視聴者の利便性など全く考慮にない。常に視聴者をバカにして、上から目線で自分たちの考えを押

し付けてくる。バカな視聴者は自分たちに従っていた方が幸せだと考えているのだろう。

簡単にまとめると、テレビの持つ既得権は次の3つに集約される。

1．格安電波使用料
2．テレビ受像機の標準規格操作
3．ご都合主義の勝手な放送法解釈

1つ目の格安電波使用料については、すでに有名なことであり、改めて取り上げる必要もないかもしれない。令和元年度（2019）の主な携帯キャリアと地上波放送局の電波利用料の負担額は、下の表の通りである。

携帯電話会社に比べて、地上波テレビの電

令和元年度 主な無線局免許人の電波利用料負担額と売上高（単位：億円）

事業者名	電波利用料の負担額	売上高（連結）	売上に占める割合
株式会社NTTドコモ	209	48,408	0.38%
KDDI株式会社	137	50,803	0.23%
ソフトバンク株式会社	168	96,022	0.16%
日本放送協会	22	7,547	0.33%
日本テレビ放送網株式会社	5	4,265	0.15%
株式会社TBSテレビ	5	3,567	0.18%
株式会社テレビ朝日	5	2,936	0.22%
株式会社テレビ東京	5	1,451	0.43%
株式会社フジテレビジョン	5	6,314	0.10%

（電波利用負担額のデータ出所：総務省「電波利用ホームページ」 https://www.tele.soumu.go.jp/j/sys/fees/account/change/r01_futangaku/index.htm

波利用料が驚くほどに安いことに気づくだろう。この表に出てくる地上波テレビ局を売上対比でみると、NHKで0・33%、民放キー局の平均で0・22%となっている。電波は国民共有の財産であり、それを独占的に利用するからには応分の負担があって当然だと思われる。しかし、実態としてテレビ局はタダ同然で仕入れた電波を使って利益を上げている。

日本のテレビ利権の総本山

そして2つ目の問題は、テレビ受像機の標準規格の操作だ。日本において、テレビの定義を決めている団体は一般社団法人電波産業会（ARIB、通称「アライブ」）である。その設立の建前は次のようになっている。

一般社団法人電波産業会（ARIB）は、通信・放送分野における新たな電波利用システムの研究開発や技術基準の国際統一化等を推進するとともに、国際化の進展や通信と放送の融合化、電波を用いたビジネスの振興等に迅速かつ的確に対応できる体制の確立を目指して設立されました。（出典：電波産業会HPhttp://www.arib.

or.jp/syokai/seturitu.html)

しかし、ＡＲＩＢの会員名簿を見ると、全国の主要なテレビ局、ラジオ局だけでなく、家電メーカー、アンテナメーカーから工事業者まで、放送分野の関連業者がほぼすべて網羅されている。要は、これこそが日本のテレビ利権の総本山であり、ＡＲＩＢが決めた規格は会員企業にとっては法律と同じものになるのだ。そして、この中においてこれまで地上波テレビ局の発言力は強く、彼らの利権を守るために独自の日本仕様が編み出され、それを満たさない製品はテレビとして認められなかった。

例えば、日本のテレビはチャンネルを順送りすると、地上デジタル放送ならその中でチャンネルがループするようになっている。なぜ地上デジタル放送の最後のチャンネルまで到達したら、そのままＢＳやＣＳに順送りにならないのだろうか？

日本を除くほぼ全世界では、いわゆるテレビ放送の多局化、多チャンネル化が進んでいる。そして伝送方式も様々だ。例えば、1～10チャンネルが地上デジタルに割り当てられ、11～20がＢＳで、21～１００がＣＳで、１００～３００がネット放送といった設定も珍しくない。海外の場合、いちいち伝送方式のボタンを切り替えることなく、チャンネルを順送りにしたり、3桁《けた》入力したりすれば、見たいチャンネルが表示される。まさにシームレスな構造になっていると言っていい。

張り巡らされた放送業界の既得権

では、なぜ日本ではシームレスにBSデジタル、CS、ネット放送に繋《つな》がるようにしないのか？　そこには標準規格をめぐる岩盤規制が横たわっている。これはもともと、パナソニックが開発したスマートビエラで問題になったものだ。

スマートビエラは電源を入れるとメニュー画面が表示される仕様になっていた。簡単に言えば、スマホやPCの仕様と同じだ。テレビというのはスマートビエラで利用できるサービスの一つでしかない。Ｙｏｕｔｕｂｅも、ａｍａｚｏｎプライムもＴＳＵＴＡＹＡオンラインも同列に置かれていたのだ。しかし、この仕様には物言いがついた。

日本でデジタル放送を受信するテレビを作る場合、事実上、ＡＲＩＢの規格に準拠しなければならない。そして、そのＡＲＩＢの規格（ARIB TR-B14）には「混在表示」という中学校の校則レベル、まさに噴飯《ふんぱん》ものの決まりがある。該当箇所を抜粋する。

9・3 放送番組及びコンテンツ一意性の確保

放送番組及びコンテンツの全体としての一意性確保の為、受信機は以下の事項を守る事が望ましい。また受信機が蓄積機能を持つ場合、また外部の記録機をコントロールする機能を持つ場合も、以下の事項を守る事が望ましい。（中略）

・放送番組及びコンテンツの提示中に、それと全く関係がないコンテンツ等を意図的に混合、または混在提示しないこと。

ＡＲＩＢはテレビが「信頼されるメディア」であるということを前提に、この規格を定めているようだ。そして、「信頼されるメディア」であるからこそ、視聴者はテレビから流れてくる情報を鵜呑《うの》みにしてしまうそうだ。だから、今見ている放送が「信頼される地上波テレビ」なのか、それ以外の「いい加減なネット放送」なのか、常に視聴者が区別できるように制御されなければならない。

そのため、日本製のテレビはスタート画面があってはいけない。そして、リモコンはいちいち伝送方式を切り替えて、地上デジタルを見ているのかどうか視聴者は意識しなければならない――随分と上から目線だが、これは国際的に見ればヘンテコな独自仕様だと言えるだろう。

そして、この規制からは視聴者を徹底的にバカにした、テレビ局の姿勢が透《す》けて見える。彼らは、「視聴者は知能が低く、テレビで放送されることは本当かウソか検証することなく鵜呑みにするバカ」であることを前提としている。確かにネット上の動画はいわゆる「放送コード」がなく、憶測や裏を取っていない情報も混在している。しかし、デマがいったん拡散されても、ネット自体の検証機能によって、たちどころにそれがデマであることは判明する。クラウドの力というのはそういうものだ。

ところが、テレビ局は視聴者を子供扱いし、「視聴者がテレビと勘違いしてネットのデマを信じたら大変なことになる」と慮《おもんぱか》っているのだ。そのためにＡＲＩＢの規格を悪用し、問答無用にテレビのトンデモ規格を国内標準としてしまった。

テレビを観過ぎればそういうバカになるかもしれないが、こと40歳代以下の人に限って言えば、それほどテレビは観ていない。視聴者をバカにするにもほどがある。許しがたい傲慢《ごうまん》さだ。

しかし、その本音は、ネット放送に眼球（アイボール）を奪われることを何とか防ぎたいということではないだろうか。「テレビでネットを見るな、視聴率が下がるじゃないか！」という地上波テレビ局の心の叫びが聞こえてくる。

リモコンのチャンネルにも岩盤規制が

そして、標準規格を使ったもう一つの問題についても指摘しておきたい。それはリモコンに自動設定されるチャンネルに関するものだ。

２０１１年にアナログ放送が終わり、デジタル放送に完全移行したが、東京の場合、今でもリモコンの1チャンネルのボタンを押せばＮＨＫ総合が映る。私はこれに違和感があった。なぜなら、地上デジタル放送移行に伴い、ＮＨＫ総合の物理チャンネルは1ｃｈから27ｃｈに移行したはずだからだ。ところが、デジタルテレビのリモコンで27と入力せずとも、1を押せばＮＨＫ総合が映ってしまう。いったいこれはなぜなのか？　実はここにも標準規格を使った岩盤規制が横たわっているのだ。

なぜテレビのリモコンで「27」と押さなくても、ＮＨＫ総合を見ることができるのか。それは関東地方において、強制的にリモコンの1チャンネルに物理チャンネルの27チャンネルを割り当てるように、テレビメーカーがデフォルト設定しているからだ。

そして、物理チャンネルとは別に、決められたリモコンキーＩＤ（リモコンキー番号）を取り仕切っているのもＡＲＩＢなのだ。

ＡＲＩＢの『地上デジタルテレビジョン放送運用規定（ARIB TR-B14）』という規格文書には次のように規定されている。

６・２・３ 地上デジタル受信機設置時の手順

(3)ＮＩＴ（ネットワーク情報テーブル）内には、remote_control_key_id を記載して、放送事業者が望むリモコンキー番号①～⑫をＴＳ（トランスポートストリーム）毎に割り当てる。これによって、ＴＳ毎の代表的なサービスがリモコンキーに割り付けられる。

「ＴＳ毎の代表的なサービスがリモコンキーに割り付けられる」という部分がまさに、物理チャンネルで27チャンネルのＮＨＫ総合を、リモコンの１チャンネルに割り当てる根拠となる。具体的にどのチャンネルがどことは書いていないが、地域ごとにリモコンの１～12までにどの局が割り当てられるかという談合は、とっくに終わっているのだ。

デジタル放送において、映像も音声もすべてのデータは0と1で構成されるデジタル信号である。このため、当初リモコンのボタン番号についても、現状のネット——枠系列ごとに全国で統一しようとする動きがあった。しかし、この話し合いは決裂した。その理由は、アナログ時代と同じチャンネル番号を維持したいという一部の放送局のワガママである。その結果、地域ごとにチャンネル番号が異なるというアナログ時代の技術的制約がデジタルで再現されることになった。何のためのデジタル化なのか？　まさにユーザー不在、テレビ局のエゴで視野狭窄《しやきようさく》に陥《おちい》ったチャンネル割当てだったのだ。

このような独自規格を国内向けに採用することは、日本のテレビメーカーの国際競争力を弱めることにもつながっている。日本向けのテレビが独自規格で、海外は標準化された規格に収斂《しゆうれん》していくことになれば、日本の家電メーカーの苦戦は当然だ。

これに対して海外のテレビ放送は多局化、多チャンネル化、多機能化している。製造業がメインだった時代には、国民のほとんどが朝9時から夕方5時まで働いて、夜はテレビを観るというスタイルが確立されていた。しかし、現代人のライフスタイルは変化し、多様な働き方をしている。「毎週同じ時間帯に決まった番組を観る」という視聴スタイルは、はっきり言って時代に合わない。出社する時間も帰宅する時間もバラバラ、子供は子供で塾などに通い忙しいので、家族みんなで同じ時間帯に同じ番組を観るのは奇跡に近い。

そのような中でＮＥＴＦＬＩＸのようなサービスが生まれた。好きな時間に好きなだけ観る。例えば、これまで放送されてきたものをまとめて一気に観るという視聴スタイルが一般的になってきた。

実際に私も、海外ドラマやアニメをまとめて一気に観ている。テレビで並行して放映している作品も多いが、毎週同じ時間に観たり録画したりするのは面倒だ。結局ＮＥＴＦＬＩＸでまとめて観てしまうことが多い。しかもＮＥＴＦＬＩＸは会員向けの放送サービスのため、Ｒ指定の作品なども観ることが可能だ。わざわざお金を払って、観たい人が観るからこそできるサービスと言えるだろう。実際にドラマの制作費などは日本の地上波テレビ局の10倍以上あるらしく、大人の視聴にも耐える、見ごたえある作品が多い。まずキャスティングありきで、脚本がいい加減、しかも予算不足な日本のドラマでは太刀打ちできないだろう。ＡＲＩＢを使ってヘンテコな独自仕様を作りたがる理由も、分からないでもない。

事実に基づかない報道のオンパレード

そして、最後に3つ目の問題、放送法の勝手な解釈について考えてみよう。放送法が意図するところは、放送が権力者にコントロールされるのを防ぐことだ。だから、基本的にテレビ局は政治権力から自由でなければならない。これが報道の自由であるともいえる。

しかし、放送に介入するのは政治権力であるとは限らない。放送事業者に強い影響力を持つスポンサー企業や経済団体、宗教団体、または、特定の政治勢力などが放送事業者にプレッシャーをかけることで真実を捻《ね》じ曲げ、視聴者に特定の政治的見解を意図的に刷り込む危険もある。例えば、特定の勢力が政権批判のためにスキャンダルをでっち上げ、それを真実であるかのように繰り返し放送することはあり得る。その放送を信じた人がウソの情報に基づいて投票行動を行い、国政選挙に影響を与えることだってできる。しかし、それが表現の自由として認められるものだろうか？　さすがに行き過ぎではないだろうか？

そこで、現行の放送法は、第一条と第三条で放送の「自律」と「自由」を保障しつつ、第四条で番組編集の原則を示している。その条文は次のようなものだ。

第四条　放送事業者は、国内放送及び内外放送の放送番組の編集に当たつては、次の各号の定めるところによらなければならない。
一　公安及び善良な風俗を害しないこと。
二　政治的に公平であること。
三　報道は事実をまげないですること。
四　意見が対立している問題については、できるだけ多くの角度から論点を明らかにすること。

放送法解釈の事実上唯一のリファレンス（解説書）である『放送法逐条解説』（金澤薫著、平成24年発行最新版）にはさらに詳しく次のように書いてある。

「表現の自由といえども絶対無制限ではなく公共の福祉に反しないよう行使しなければならないという外在的内在的制約を有している。このため、放送番組編集の自由についても絶対無制限の権利が認められていると考えることは妥当ではない。放送については本法第一条において放送を公共の福祉に適合するよう規律することを明らかにするとともに、法律に定める権限に基づく場合は一定の制約があることを認めている」（前掲『放送法逐条解説』54頁）

つまり、テレビが事実に基づかない勝手な報道をすることは許されないということだ。そもそも、国民共有の財産である電波帯域を独占的に使用する権利を持っている時点で、テレビ局が何の制約も受けないことなどあり得ない。昨今の「モリカケ騒動」などは本来あってはならない報道ではないのか？

政治家や官僚との癒着《ゆちゃく》ということなら、東京医科大学裏口入学問題や、文科省接待スキャンダルも同等に扱われるべきだ。しかも、後者は東京地検特捜部に容疑者が逮捕され、新たな証拠もどんどん出てきている。立憲民主党の吉田統彦《つねひこ》議員が高級クラブでブローカーの谷口浩司容疑者に接待を受けている写真も、ネットに出回っていた。安倍総理と加計《かけ》理事長が同席している写真はバーベキューの席だった。どう見ても吉田議員の方が怪しさ満載だ。ところが、マスコミはこの件をほとんど報道していない。あれだけ「モリカケ騒動」で大騒ぎしたのとは対照的だ。

安保法制、特定秘密保護法、ＩＲ法案と毎回大騒ぎしたマスコミだが、結局、大山《たいざん》鳴動《めいどう》して何も出てこなかった。徴兵制も戦争も始まらない上に、酒場で上司の悪口を言っても逮捕される人は誰も出てこない。いったいあのバカ騒ぎは何だったのか？

彼らがウソをついてでも安倍政権を引きずり下ろしたかった理由は２つある。１つは憲法改正、もう一つは放送の自由化だ。

ご存知の通り、マスコミの中には公安に過激派認定された団体のメンバーが潜り込んでいる。一番有名な話はＮＨＫプロデューサーの今理識《こんみちおり》氏だ。今氏は表向き解散したことになっている「しばき隊」のメンバーであり、実質的には沖縄支部長として過激な活動家を沖縄に送り込んだと言われている。Ｔｗｉｔｔｅｒの「nos@unspiritualized」というアカウントの所有者であり、自分たちと異なる主張をする人に対して罵声《ばせい》を浴びせていた。このような活動家はマスコミにはたくさん潜んでいるらしい。

また、テレビ局ではないが、新潟日報上越支社報道部長・坂本秀樹氏が「しばき隊」関連のＴｗｉｔｔｅｒアカウント「壇宿六（闇のキャンディーズ）」であったことも２０１５年に発覚している。彼らにとって憲法改正阻止のためなら、どんなテロ行為も肯定されるのであろう。沖縄で機動隊員を殴りつけることも、ウソのニュースを広めることも、いずれも過激なテロ行為だ。

もし、日本で電波オークションを行ったら

そして、もう1つの理由である放送自由化は過激派のみならず、テレビ局全社が反対の立場だ。彼らは既得権を持つだけに、それを失うのは困るのだろう。しかし、テクノロジーの進歩には逆らえない。現行のテレビ優遇政策は、日本の産業技術の発展のためにもマイナスだ。

そもそも、先進国で電波オークションを行っていないのは日本だけだ。電波は国民共有の財産であり、その帯域は限られている。特定の業者が格安料金で独占することは正当化できない。もし、日本で電波オークションを行ったら、現在の電波利用料は1ケタ跳《は》ね上がると言われている。逆に言えば、今のテレビ局は電波タダ乗りという形で、間接的な補助金を貰《もら》い続けているのだ。

電波オークションは長年放置された課題である。そして、この課題に安倍政権はメスを入れた。2017年12月8日に閣議決定された「新しい経済政策パッケージ」には次のように明記されている。

周波数の割当手法を抜本的に見直し、新たに割り当てる周波数帯の経済的価値を踏まえた金額（周波数移行等に要する費用を含む。）を競願手続にて申請し、これを含む複数の項目（人口カバー率、技術的能力等）を総合的に評価して割当を決定する方式を導入するための法案を来年度中に提出することとし、そのための検討を行う。この新たな方式による収入は、周波数移行の促進やSociety 5.0の実現等のために活用することとし、そのための方策の検討を行う。（http://www5.cao.go.jp/keizai1/package/20171208_package.pdf）

しかし、マスコミはこの事実を捻じ曲げて解釈し、報道した。例えば毎日新聞は２０１７年11月29日の記事で「電波割当制度　オークション先送り　価格競争要素は導入」というヘッドラインを打った。閣議決定がされる前に世論をミスリードしようとしたのだろう。また、同時期に日本民間放送連盟（民放連）の井上弘会長は、電波オークションについて次のように批判している。

日本民間放送連盟（民放連）の井上弘会長は17日の定例会見で、政府の規制改革推進会議で議論が進められている、電波の周波数帯の利用権を競争入札にかける「電波オークション」導入について、「われわれは多かれ少なかれ公共性を担《にな》っており、金額の多寡《たか》で決まる制度には反対する」と批判した。

その上で、「われわれへの批判はあると思うが、公平性を保ち、ライフラインとしてやってきた自負がある」とも語った。（『産経新聞』２０１７年11月17日https://www.sankei.com/entertainments/news/171117/ent1711170017-n1.html）

新聞とテレビは完全にグルだ。これだけ偏向報道を放置して何が公共性か。まさに噴飯ものの会見と言っていいだろう。

ちなみに、閣議決定の中にある「競争的な割当方式」が意図するところは、広義の電波オークションに相当する。オークションの一般的なイメージは「競《せ》り」だ。より高い金額を出した人が商品を得る、いわゆる「競り上げ方式」を想像する人が多いであろう。しかし、定義上オークションには「競り上げ」だけでなく「競り下げ」とか、「封印型」とか、他にもたくさんの形態がある。閣議決定の言うところの「競争的な割当方式」は、必ずしも「競り上げ方式」ではないというだけで、他の方式のオークションも検討するということなのだ。記者は勉強不足なのでオークションには競り上げ以外の方式が存在することを知らなかったらしい。極めて情けない話だ。

オークションが実施されれば、テレビの既得権は崩壊する。通信大手やネット通販企業などがおそらく電波帯域の獲得に意欲を燃やすであろう。こうして競争を促進することで経済は発展する。既得権とは競争を回避する仕組みであり、最終的には経済の停滞をもたらすのだ。

NHKは儲けすぎている

その既得権のなれの果てがＮＨＫである。何を隠そうＮＨＫは儲けすぎている。国民から巻き上げて溜め込んだ金額は名だたるエレクトロニクスメーカーに匹敵する。これだけ金が有り余っているにも拘《かかわ》らず、視聴者を騙してまで無理やり受信料を徴収しているのはなぜか？　まさにこれこそがＮＨＫ問題の核心だ。

では、ＮＨＫはどれぐらい儲けているのか？　令和元年のＮＨＫ中間決算を繙くことで、まずはこの問題の大きさに焦点を当てていきたいと思う。

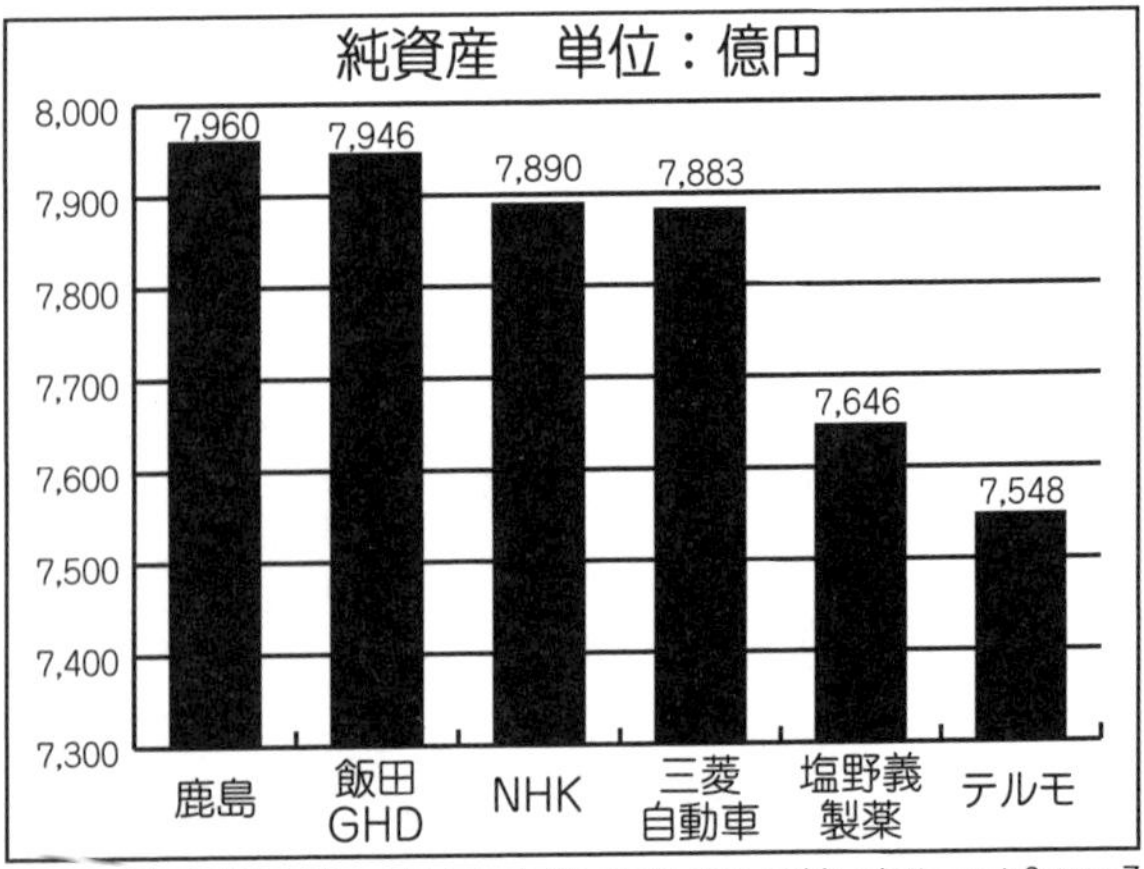

データ出所：https://minkabu.jp/financial_item_ranking/net_assets?page=7
https://www.nhk.or.jp/info/pr/kessan/assets/pdf/2019/t-zaimu_r01.pdf

まず、冒頭から驚くべき数字について言及したい。令和元年度連結決算の貸借対照表から資産と負債の金額を引用する。

資産　1兆2168億円
負債　　4278億円

1兆円以上の資産に対して負債はその半分もない。資産から負債を引いたものが純資産だが、NHKは7890億円もの純資産を積み上げていることがわかる。

この金額は同時期の日本を代表するゼネコン、住宅産業、自動車メーカーや製薬会社に匹敵する。上のグラフをご覧いただきたい。

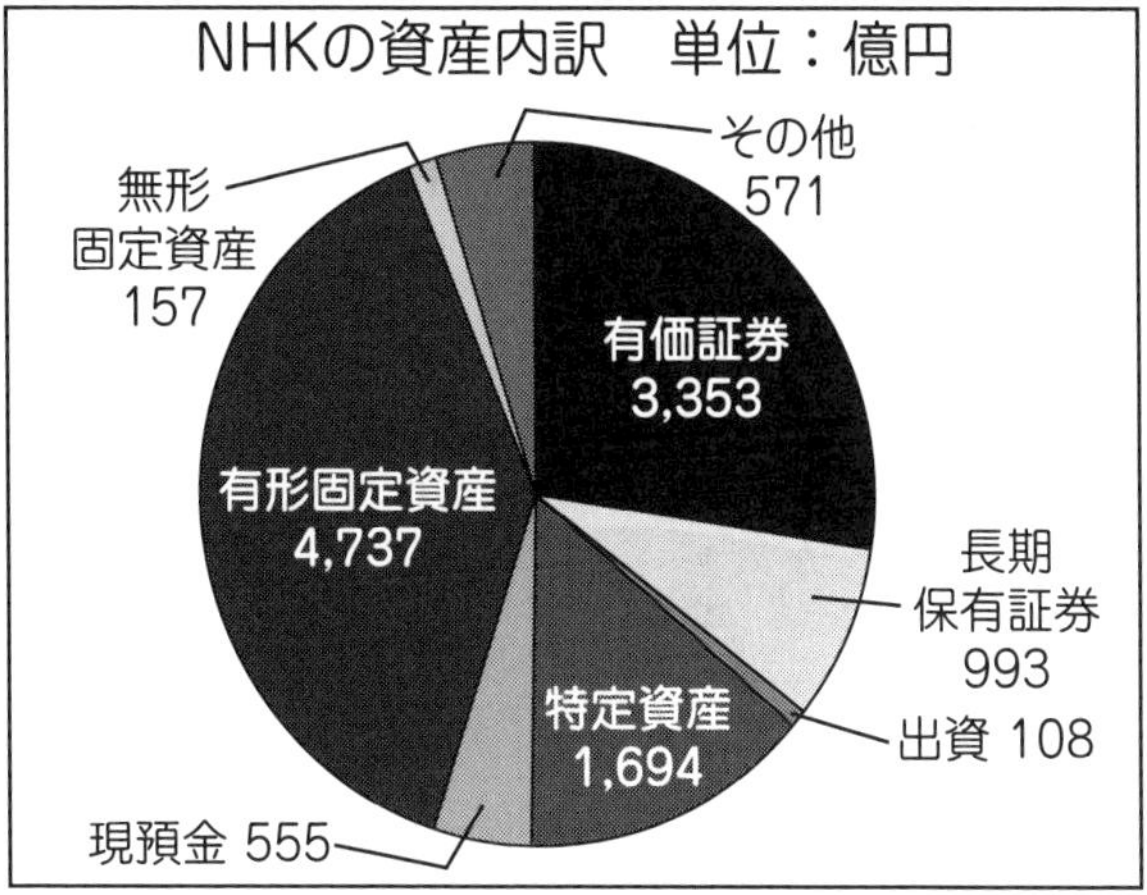

ＮＨＫの純資産は塩野義製薬や三菱自動車よりも多く、その金額は飯田ＧＨＤ（飯田産業）や鹿島建設に比べてもそん色はない。ＮＨＫが道路を作ったり、新車や新薬を開発したりすることはない。果たして公共放送にこれほどの純資産が必要であろうか？

もちろん、ＮＨＫが来たるべき次世代の放送に向けて惜しみない投資をしているなら、それは一つの経営判断として尊重してもいい。しかし、資産の中身を見てみると、そんな姿勢は全く見えない。ＮＨＫは確かに投資をしている。しかし、それは放送事業への投資ではなく、単なる証券投資だ。上のグラフはＮＨＫの総資産の内訳をグラフ化したものだ。

この内訳から判断する限り、有価証券、長期保有証券、出資は明らかに証券投資としてカウントできる。また、特定資産とは、主に放送センター建て替えのための費用の積み立てであり、貯金と変わらない。これに加え、現預金が555億円もある。証券投資と貯金の合計は何と6703億円にも達する。これはＮＨＫの総資産1兆2168億円の55％に相当する。つまり、ＮＨＫはこれまで徴収した受信料で築き上げた資産のうち、その半分以上を現金や有価証券で保有している。逆に言えば、放送事業に使っているのは半分以下ということだ。

巨額の純資産を国民に返還すべき

さらに、証券投資の中身が極めて興味深い。一見、有価証券を買っているように見えるが、内訳をみるとその大半が債券だ。財務諸表からその詳細について抜き出して次ページに記す。

国債、政府保証債、地方債は事実上元本割れしない債券だ。「譲渡性預金」とは定期預金の一種である。「非政府保証債」とは、大和証券の証券用語解説によれば「政

〈有価証券の内訳〉（単位：千円）

区分	券面総額	取得価額	貸借対照表計上額	摘要
国債	2,000,000	1,994,000	1,999,739	
政府保証費	2,500,000	2,495,610	2,499,811	日本高速道路保有・債務返済機構債権ほか
非政府保証費	11,600,000	11,597,450	11,599,889	住宅金融支援機構債権ほか
地方債	5,300,000	5,297,980	5,299,914	愛知県公募公債ほか
事業債	30,000,000	30,000,000	30,000,000	東日本高速道路㈱社債ほか
譲渡性預金	284,000,000	284,000,000	284,000,000	
合計	335,400,000	335,385,040	335,399,355	

NHK有価証券の内訳

府関係機関や特殊法人が発行する政府関係機関債のうち、元利払いに政府の保証が付かない債券のこと」である。「事業債」とは主に電力会社が発行する債券を指す。これらも極めて安定的な債券であり、元本割れのリスクは極めて低いと言われているものだ。

つまり、有価証券とは言っても、これらは現金に近いものであり、実質的には貯金しているのと変わらない。実のところＮＨＫは集めた受信料を現金で溜め込んでいるに等しいのである。放送事業に使わないなら受信料を値下げすべきだし、いま積みあがっている巨額の純資産は国民に返還するべきではないだろうか。

ところが、ＮＨＫは２０２０年10月16日に行われた有識者会議の席上、家庭や事業所でテレビを設置した場合に届け出を義務化する制度改正を要望した。日経新聞の報道によれば、その場にいた有識者から「性急な要望だ」「氏名照会は適切な方法なのか」など慎重な検討が必要との意見が相次いだそうだ。当たり前だ。ＮＨＫはこれ以上受信料を集める前に、やらなければならないことがある。元ＮＨＫアナウンサーで、自民党参議院議員の和田政宗氏は、フェイスブックで次のように述べている。

これを行えば、受信料徴収にかかる費用の削減でさらなる料金値下げができるが、ＮＨＫ全体のスリム化、理事や幹部の高水準の給与の削減など、やるべきことをやって極限まで受信料値下げを図らなければ、国民の理解は得られないであろう。

(https://www.facebook.com/permalink.php?story_fbid=1467988867185258&id=100005222824734)

ＮＨＫも巨大な電波利権と化しているということだ。おそらく、ＮＨＫと民放は電波利権という岩盤規制を全力で守りに来るだろう。菅政権にはぜひこの闇に切り込んで、国民共有の財産である電波帯域を取り戻してほしいと思う。

第5章

銀行

金融行政の被害者はいつも一般庶民

写真：川北茂貴／アフロ

日本の銀行に何が起こったのか?

晴れの日に傘を貸し、雨の日に傘を奪っていくのがこの国の銀行だ。銀行はいつもリスクの見積もりを間違える。だから、不況の時にはお金を貸さず、景気が良くなると過剰に貸し付ける。そして、再び景気が悪くなると貸し剝《は》がし。毎度毎度、同じことの繰り返しだ。なぜ銀行の経営者はこれほど無能なのか?

私は経営者として、そして個人として、そんな銀行のいい加減な経営に被害を受けてきた。それは私に限ったことではなく、多くの人にも共通していると思われる。つい30年前には世界を席巻《せっけん》していた日本の銀行に何が起こったのか? そこには金融自由化とは名ばかりの岩盤規制が横たわっていた。

アベノミクスが始まって4年目の2016年、私は何を血迷ったか、本業で銀行の融資を受けようと思った。私が起業したのはデフレの真っ只中の2001年。誰も信用しなかった私は、一切銀行に頼ることなく無借金経営を続けてきた。これからも無借金経営を続けてよかったのだが、経営者の先輩から「一度は銀行とお付き合いしてみた方が良い」とアドバイスを受けたので、一応取り組んでみようと思った。

ちょうど2014年から始めた格闘技のスポーツジムが当たって、新規の店舗展開のペースを上げるには好都合なタイミングでもあった。そして、一番大きかったのは2016年の3月に始まった日銀によるマイナス金利だ。「そんなに金利が安いなら一度借りてみるか」と考えた経営者は、私以外にもたくさんいたと思う。

さっそく、私は某信金と某メガバンクの担当を呼んで融資の相談を試みた。しかし、交渉は出合い頭で決裂した。全く話にならなかった。彼らはうちの会社の決算書をろくに見もせず、事業の中身についてもろくに話を聞かなかった。私の話を遮《さえぎ》るように勧めてきたのは制度融資だ。

制度融資とは、自治体が利子の一部を補助する半公的融資制度のことだ。当時は金利1・7%のうち0・4%を自治体が補助してくれるというディール（取引）だった。しかし、この制度の利用には1つ条件が付いている。信用保証協会による保証を必須としているのだ。その保証料は年額で融資金額の0・4%だった。企業側は金利と保証料を合わせて実質1・7%の金利を負担しなければならない。何のことはない、金利の補助と保証料で「行って来い」なのだ。

マイナス金利の時代に1・7％の金利とは、あまりに暴利であると私は思った。しかも、銀行の担当者は私が一見客《いちげんきゃく》だからか、ろくに事業内容も見ずに、右から左に制度融資を勧めてきた。本当に失礼な話だ。

実はこの融資相談をするにあたって、私は事前に情報を得ていた。私が顧問を務めている某ベンチャー企業の場合、融資の条件は無担保、保証人不要、金利0・7％という破格のものだった。その会社はあるファンドからの出資も受けているため、そこから紹介してもらっただけだという。紹介のあるなしでこんなに変わるのか？　私が提示された金利の半分以下である。これは明らかに差別だ。

コネがあれば金利は値引きされるということだとしたら、日本の銀行は支那共産党を笑えない。こんなことをしていたら、いずれ日本の銀行は滅びるだろう。いや、滅びてしまうべきだ。

「銀行」というビジネスモデルは死んだ

その兆候はすでに表れている。メガバンクが相次いでリストラを発表した。みずほ銀行は店舗20％削減、人員約2万人のリストラ。三菱ＵＦＪ銀行は5年間で店舗を半減させ、人員も1万人削減、三井住友銀行も3万2000人のリストラを決めた。

バブル時代、リスクを取らずに大企業に就職し、デフレ期を正社員で逃げ切ろうとしていた人はお気の毒だ。転籍などによって、アテにしていた退職金も大幅に削減されるかもしれない。

実は、私が大学を卒業して就職したのは日本長期信用銀行（現・新生銀行）だった。1998年に破綻《はたん》して国有化され、その後リップルウッドというハゲタカファンドに買われた、あの銀行だ。昔は、早めに銀行を辞めたことが正しかったのかどうか迷ったこともあったが、最近のメガバンクの相次ぐリストラ報道を聞くにつけ、やはりあの判断は正しかったと確信している。当時、私は二十代の若者だったが、よくぞ決断したと思う。

旧来の銀行というビジネスモデルは死んだ。いや、実はバブル期に、すでに死んでいた。そして、それからずっと死んでいる。ところが、銀行には死んだという感覚がない。まさに生ける屍《しかばね》、ゾンビである。しかし、世間一般の多くの人は、未だに銀行が生きていると思っているらしい。

銀行は預金を集め、貸出しを行う。貸出先がどれぐらいのリターンが期待できるか、そのリスクはどの程度なのかを審査する力が銀行には必要だ。ところが、銀行にはこの力がなかった。多くの銀行がバブル期に見込み違いをして、リターンが見込めない事業に多額の貸付けを行ってしまったのだ。私が勤めていた日本長期信用銀行も世界中のリゾートを買いあさったEIEインターナショナルに3800億円とも言われる多額の融資を行い、それが焦げ付いて破綻した。

銀行が巨額の損失を出すたびに、政府と日銀は公的資金を注入し、救済する。庶民感覚からすれば放漫経営の尻ぬぐいのための税金投入など言語道断だ。しかし、仮にある銀行が完全に破綻したとすると、その銀行に債権を持つ他の銀行や企業に巨額損失が発生する。それが原因となり連鎖的に他の銀行も破綻する可能性がある。いわゆる「カウンターパーティーリスク」というやつだ。こうなると一つの銀行の破綻では済まない。金融システムそのものが崩壊し、一国の経済が大混乱に陥《おちい》ってしまう。

それに比べれば、確かに一つの銀行を救済するぐらい安いものだ。2000年前後の公的資金の注入と不良債権処理には、なんと12兆円もの税金が投入された。しかし、多くの銀行経営者は責任を取らなかった。むしろ、その責任は現場に押し付けられ、中間管理職のストレスによる自殺や心の病などが蔓延《まんえん》した。さすがにこれは酷《ひど》い。

経営者が責任を取らなかった理由は単純だ。結局、彼らは規制当局の言いなりだった。操《あやつ》り人形に責任はない。いや、むしろそれを操っていた人々が責任の波及を恐れた。もちろん、大蔵省は解体されたが、あれはあくまでも接待スキャンダルが原因だ。要は賄賂《わいろ》が問題になっただけであって、銀行規制の失敗の責任を問われたものではなかった。

当時は金融ビッグバンなどと言われ、自由化が始まった時代だったが、大蔵省と日銀の規制は厳しかった。文字通り箸《はし》の上げ下ろしまで指導されていたと言っていい。銀行は規制当局の言いなりに経営し、バブルが弾けて不良債権の山を作った。それだけの話だ。最初から経営者に経営能力があるわけではなかったのだ。彼らは単に「流れ」に乗っていたに過ぎない。

もちろん、流れに乗っているだけで経営ができた時期もあった。高度経済成長期はまさにそんな時代だ。日本が戦争の痛手から立ち直る過程で、人口の都市への移動、工業化が一気に進み、またアメリカの恩情で1ドルが360円という超円安固定レートだったため、どんな企業に融資しても、だいたい返済を受けられた。しかも、年率10％近くの経済成長が続いており、金利も今よりずっと高かったのだ。これならどん

ドル／円為替相場（1971～2017年）

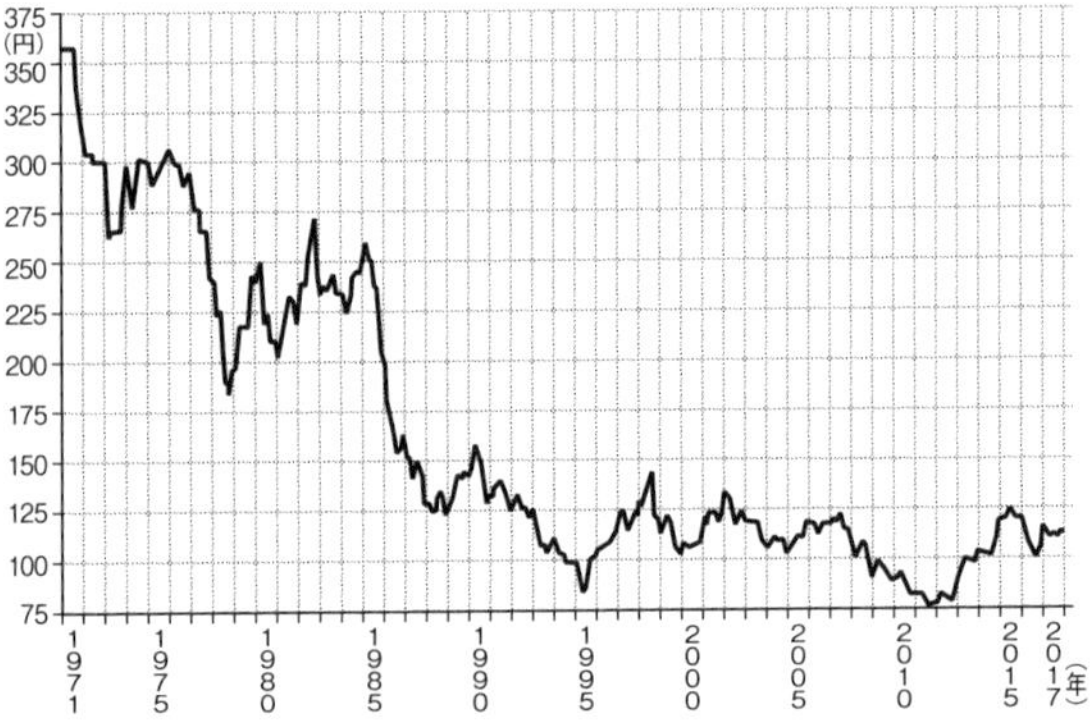

（データ出所：https://xn--1-nguwep56l.com/）

なバカが審査しても大抵はうまくいく。問題はその後だった。

その転機は1985年のプラザ合意だと言われている。プラザ合意について、アメリカの陰謀だとか圧力だと決めつけている人がいるが、これは正しくない。むしろ、プラザ合意以前が日本の陰謀で、円が不当に安く操作されていたと言った方が正しい。1971年のニクソンショックを経て1973年に、1ドル360円の固定相場は廃止され、日本は変動相場制に移行した。ところが、急激な円高で国内産業がダメージを受けることを恐れた大蔵省は「シャドー為替《かわせ》介入」を続けていたのだ。1970年代に1ドル300円前後とか、200～2

50円など、不自然に為替が安定していた記憶はないだろうか？　実はこれこそが「シャドー為替介入」の賜物《たまもの》だ。なお、この点については『戦後経済史は嘘ばかり』（髙橋洋一著、PHP新書）に詳しいのでぜひご一読をお勧めする。

1970年代、日本経済がどちらかというとインフレに苦しんでいた理由も、まさにこのためだった。当時の大蔵省と日銀は為替レートを維持するために、国内経済を犠牲にしていた。これは経済学の知見でいうところの「国際金融のトリレンマ」として知られる、絶対に逆らえない掟《おきて》だ。次の3つの政策のうち、2つを取れば残りの1つは必ず犠牲になる。

①　固定相場制
②　資本取引の自由
③　金融政策の自由

当時の日本は表向き、変動相場制に移行したにも拘《かか》わらず、為替をコントロールして実質的な固定相場制にするため、政策の割り当てを行っていた。資本取引の自由とは外国とのお金のやり取りのことで、これは今更止められない。海外から日本への投資資金もあるし、その逆もある。結果として、金融政策の自由が犠牲となった。金融政策の自由とはインフレ率や金利などをコントロールすることだ。

１９７０年代に、高度経済成長が終わったことによって、巨額資金を重厚長大産業に貸付け、たんまり利ザヤを抜くという銀行の楽勝ビジネスモデルは終わった。しかし、それでも大蔵省と日銀の闇の為替操作によって、インフレ気味の状態が続いたため、金利も高く、何とか儲けをたたき出すことはできた。しかし、１９８５年9月に転機が訪れた。それがプラザ合意である。

プラザ合意は日本を狙い撃ちにしたと言われるが、ただ単に「シャドー為替介入」を止めなさいということが決まっただけの話だ。現代で言うなら、トランプ大統領が習近平国家主席に対して、「為替操作を止めろ！」と言うに等しい。本来、変動相場制に移行しているはずなのだから、為替介入によって相場を操作している方が間違っている。日本はこれを全面的に受け入れざるを得なかった。その結果、ドル円相場は1ドル２００円から一気に１２０円台まで円高になった。そのせいで、日本国内は円高不況が発生し、輸出産業を中心に大きなダメージが広がった。

審査能力のない銀行

この状況を打破するために、1985年末から大蔵省は日銀に命じて、それまで5％だった公定歩合《こうていぶあい》（政策金利）を段階的に引き下げた。1987年に公定歩合は史上最低金利の2・5％まで引き下げられた。これと同時に、日銀の窓口指導が強化された。日銀は市中銀行への資金割り当てを増額し、それを無理やり貸出させるための融資計画を提出させたのだ。

当時、日銀からの資金は超低金利で取れれば必ず利益があると言われていた。しかし、貸出先もないのにそんな巨額の資金を取るべきだったのか？　すでに重厚長大産業の資金需要もなく、自動車メーカーや電機メーカーも市場から直接資金調達ができるようになっていた。しかし、日銀の窓口指導には逆らえない。「おたくが要らないなら、他に回すよ」と言われればそれまでだ。その結果、市中銀行は得られるだけの資金を得た。当然、市場には多額の資金が溢《あふ》れかえった。貸出先のない資金は、不動産市場に流れ、自己実現的に不動産価格が高騰した。バブル景気だ。

銀行はもともと、大した審査能力がない。審査は将来性のあるビジネスを探すものではなく、単に返済能力のあるなしを判定するものだ。よって、担保をたくさん差し出せる人、要するにもともとお金を持っている人にたくさんお金を貸せるということになる。土地価格が値上がりすると、担保価値が上がるため、銀行はよりたくさんのお金を貸せるようになる。そして、そのお金が再び不動産投資に回れば、不動産価格が高騰する。またもや担保価値が上がり、銀行はよりたくさんのお金を貸せるようになる。土地の値上がりと担保価値の向上が連鎖することで、市場には無限の資金が溢れたのだ。

おかげで一般庶民は多大なる迷惑を蒙《こうむ》った。この時代は、戦後のベビーブーマー(団塊《だんかい》の世代)がちょうど40歳代に差し掛かった時期だった。その大半はサラリーマンで、死ぬまでの間にマイホームを買いたいと思っていた人々だ。ところが、土地価格の高騰によって彼らの夢には黄色信号が灯った。しかも、これだけたくさんのマイホーム需要があるにもかかわらず、政府の規制緩和は遅々として進まず、高層住宅なども今のように簡単に建てることはできなかった。

また、都市部でたいして農業をしていないのに農地扱いして税金を値引きする「生産緑地法」という悪法が1974年に生まれていた。土地価格の高騰を抑制するなら、この法律は廃止されるべきだった。なぜなら、農地に宅地並みの高い税金をかけて土地を手放させることで、土地の供給を増やせるからだ。そもそも、土地の価格に見合わないビジネスは退場してしかるべきだ。ところが、地主の利権を護《まも》るためにこの法律は温存された。まさに、逆方向の不作為だ。

低金利と土地の供給不足のダブルパンチで、マイホームの価格は高騰し、人びとの怒りが爆発したことは記憶に新しい。連日、マスコミはバブル叩きに走り、日銀の澄《すみ》田智総《たさとし》裁（当時）は激しいバッシングを受けた。

ところが、この「相場」で大儲けした人がいる。土地の値上がりに乗じて、より多くの資金を銀行から引き出し、事業を拡大させたデパートのそごうなどがその典型だ。そごうは郊外の土地を開発し、デパートを進出させることで、周辺の土地価格が上がることに目を付けた。土地の値上がり分だけ担保価値が増えるため、新たに資金を銀行から融資してもらい、その資金で再び新規出店する。すると、新規出店した場所の土地価格も上昇し、またもや担保価値が上がる。これをひたすら繰り返すことで無限に成長できると踏んだのだ。

当時、そごうを率いていたのは興銀出身の水島廣雄《みずしまひろお》会長である。水島氏は母校である中央大学の法学部で「企業担保法」という授業を受け持っており、このからくりを講釈していた。実はちょうどそのころ、私は中央大学法学部の学生だったのだが、残念ながらこの授業は受講していない。

もちろん、この経営手法は土地の値上がりを前提としたものだ。バブルが崩壊し土地価格が値下がりを始めると、資金は一気に逆回転した。そごうの倒産に際して水島氏は個人保証した債務の強制執行を免れようと、1億円余りの個人資産を隠した。この件で、2001年5月に逮捕されている。

ある日突然、手のひらを返した日銀

しかし、実は水島氏はむしろ犠牲者ではなかったのか? 土地が上がり続ければ正解というビジネスモデルを銀行が承認し、巨額のお金を貸してくれた。ただそれだけのことである。もし、「土地価格が右肩上がりに上がり続けることはない」と銀行が知っていたなら、金は貸さなかっただろう。ところが、銀行は規制当局の言いなりになっているだけで何も考えてなかったのだ。

長銀がEIEインターナショナルへの巨額融資に手を染めたのも、興銀が尾上縫《おのうえぬい》の

日銀の公定歩合（基準貸付利率）の推移（1981～1999年）

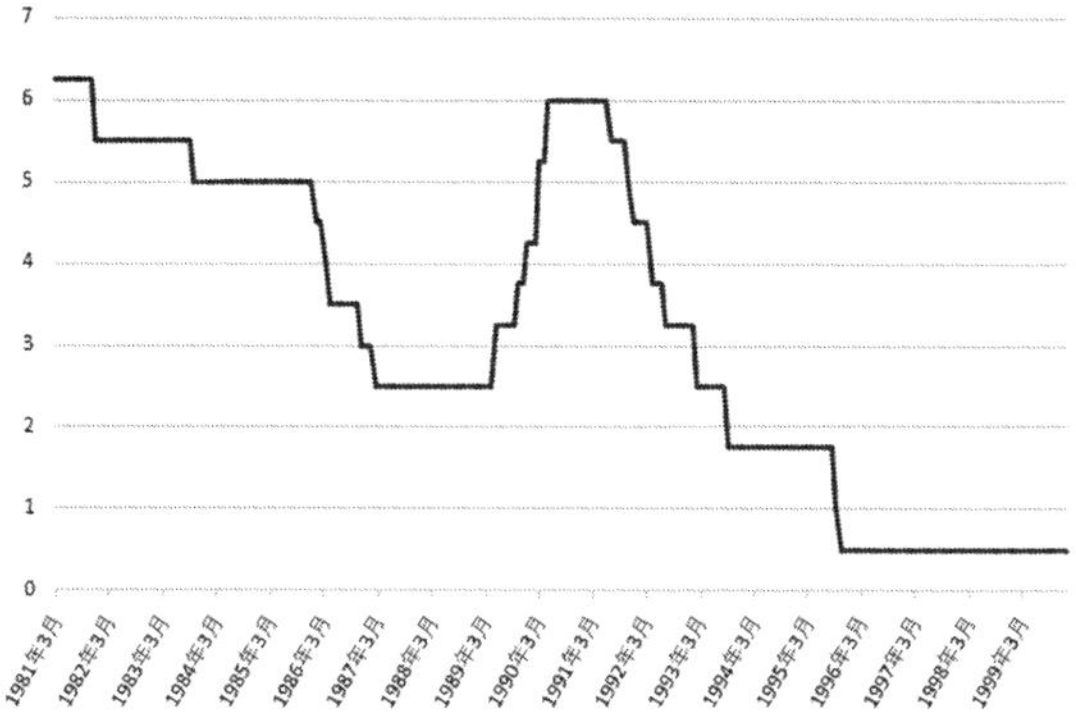

（データ出所：日本銀行）

ような素人《しろうと》投資家に大量の投機資金を貸付けたのも、結局は大蔵省と日銀の指導が遠因だ。似たような危ない案件は、当時どの銀行でもやっていたことだ。箸の上げ下ろしまで指導されていた当時の銀行業界において、指導に逆らって貸出しを増やさないことなどあり得ない。無理やり案件を見つけて貸付けろと言われれば、その通りにやるしかなかった。そして、この状況が永久に続くと見込んで、水島氏のような経営者が思いっきりリスクを取ったのだ。

　ところが、世間のバブル叩きが過熱すると、ある日突然日銀は手のひらを返した。1989年5月、突如として公定歩合の引き上げを開始したのだ。

いままでは「どんどん貸せ！」と煽《あお》っていた大蔵省と日銀が、突如として手のひらを返し、もう貸すなと言い出した。銀行はまさかと思ったが、1990～91年の大蔵省の総量規制で不動産への貸出しに制限がかかるに至って、当局が本気であることに気付いたのだ。

そして、ここから何度か日本経済は立ち直りのきっかけをつかむが、そのたびに大蔵省と日銀がチグハグな対応をして、最後はデフレ不況へと転げ落ちてしまった。その過程で大蔵省は接待スキャンダルを起こし、解体されて財務省と金融庁に分割された。

基本的にこれ以降、財務省は緊縮モード、日銀は金融引締めモードになる。しかも、20年近くもの長期間にわたって。銀行はこの政策変更に唯々諾々《いいだくだく》と従い、イケイケドンドンから貸し剝がしモードへと、何のためらいもなく転換していった。

そして、土地の値上がりを見込んで慌ててマイホームを購入した一般庶民は、とんだ高値掴《づか》みとなってしまった。1989年の日銀の政策転換の時点で、まさかこれほどの土地価格の値下がりがあり得ると思っていた人は誰もいなかった。1991年の大蔵省の総量規制の後でも、土地は一時的に値下がりするかもしれないが、いずれまた上がると信じる人がほとんどであったと思う。なぜなら私もその一人だったからだ。

銀行を辞めて転職した後、幸運にして小金を貯めることに成功した私は、何を血迷ったかマイホームを買ってしまったのだ。しかも、4000万円もの巨額ローンを組んで。1998年のことである。その後、2002年にその家を手放すことになるのだが、合計1000万以上の損失を被《こうむ》った。この時の詳しい顛末《てんまつ》は拙書『家なんて200%買ってはいけない』（きこ書房）をお読みいただきたい。ちょうど、この頃に会社をリストラされてしまった人はみな私と同じような悲惨な目に遭《あ》っていただろう。ローンを清算したら家を失って借金だけが残ったというケースも多かったのではないか。まさに金融行政の犠牲者は我々一般庶民なのだ。

とはいえ、私はローンが清算できたのでまだマシな方だ。中には、返済不能になって破産してしまった人もいる。破産まではいかなくとも、将来の返済がほぼ不可能な状態で何とか利払いだけ続けているとか、利払いですら数か月滞《とどこお》っているという人も多い。こういうケースを、住宅ローンに限らず企業向けの貸出しまで視点を広げ、銀行側の視点で見たのが、いわゆる不良債権問題だ。

不良債権が増えた原因は、借り手側の返済能力を過剰に見積もった貸手側にもある。銀行経営者は規制当局である大蔵省と日銀の言いなりになってリスクを軽視し、貸出しを増やした。その結果、返済が見込めない不良債権の山ができてしまった。しかし、問題はこの後だ。2000年前後までの大蔵省と日銀のチグハグな対応により、それ以降もデフレが長引いたために、優良な債権までもが追加的に不良債権化してしまった。規制当局の対応が「Too little, too late」だったことが悔やまれる。

スルガ銀行事件は氷山の一角

この時、何度となく公的資金を注入されたが、どうにもならない銀行は破綻して国有化された。私が勤めていた長銀、そして拓銀、日債銀、山一證券など名だたる金融機関が破綻してしまった。また、潰《つぶ》れないまでも当時の都市銀行は統廃合され、いまのメガバンクができた。これも規制当局の指導によるものだ。銀行には全くもって主体性がないのである。そして、現在もこの流れが続いていると考えてよい。

2012年末からアベノミクスが始まったことで、これまで死に体《たい》だった融資部門にもチャンスが訪れたように見えた。しかし、貸出しの伸びは鈍い。全体としては増えているがまだまだである。その理由はこれまでの経緯を見ていただければ分かるだろう。銀行からしてみれば、「お上《かみ》から貸せと言われて貸していたら、突然貸すなと言われた。そして、しばらく経ったらまた貸せと言ってきた。信用できない」ということになる。

そもそも、銀行に就職する人は安定志向の人が多く、リスクを取れない。減点主義の職場で長年やってきた今の銀行トップは、年代的にちょうど40代ぐらいの時にバブル崩壊後の悲惨な後処理を社内で見てきた世代だ。いくら当局が背中を押しても、手のひら返しのトラウマが彼らをしり込みさせる。本章冒頭の私の体験はまさにそれだった。まともに話も聞いてもらえず、「出回り」の制度融資を機械的にハメ込んでくる。こんなものは営業でも審査でもない。単なる作業だ。

そして、銀行は同じ過ちを繰り返した。「かぼちゃの馬車」というシェアハウスのサブリースで高利回りを謳《うた》った株式会社スマートデイズは、予定した配当を支払えず破綻した。この事件に大きく関わっていたのはスルガ銀行である。彼らは融資の申請書類を偽造して、支払い能力のない個人に一人平均２億円もの巨額融資を行っていたのだ。

「かぼちゃの馬車」のシェアハウスは、ハイスペックで低価格を謳っていたが、実態はタコ部屋に近い代物《しろもの》だった。入居者数に比べてトイレや浴室の数が少なく、満室になればトイレ渋滞が発生することは間違いないと言われていた。シェアハウスはすでに過当競争であり、入居者の獲得見込みも相当甘かったと思われる。被害総額は1000億円に上ると見られている。

この事件はスルガ銀行によって引き起こされたと言っても過言ではない。一般人にフルローンで2億円ものお金を貸すこと自体、どうかしているのだ。書類の偽造は行員が主導して行ったとのことで、審査はまさにザルだったと言っていい。そして、恐ろしいことにこの問題は程度の差こそあれ、他の銀行でも発生しているのである。

銀行の審査能力はバブル崩壊前と大して変わっていない。スルガ銀行の融資書類の偽造は本人に担保能力があるかのように見せかけるものだった。このことからも、返せそうな人に貸すという基本姿勢は変わっていないことが分かる。

スルガ銀行ほど甘い審査でなくとも、実際に資産を持っている人に、以前よりも積極的に資金を貸し出すことは、他の銀行でも行われていた。その典型がいわゆる「アパマンローン」というものだ。地主に対して、相続対策になるという触れ込みでアパートの建築を勧誘する業者がいる。彼らはアパートを30年間一括で借り上げて家賃保証をするなどと、甘い言葉で地主をその気にさせる。そして、実際にアパートを建てる際には銀行ローンを活用するのだ。アベノミクスが始まって以降、このやり方でたくさんのアパートが日本中に乱立した。よく地方で畑の真ん中にカラフルなアパートができているのを見かけることはないだろうか？　あれがまさにそれである。

ちなみに、この「30年一括借り上げ家賃保証」にはカラクリがあるので指摘しておこう。契約書の細かい文言《もんごん》をよく読むと、大抵は家賃の決定権が借り上げる業者側にあることが多い。近隣家賃の相場に合わせて変更されることがある、という記述がそれにあたる。つまり、アパートを建てたはいいが入居者が少なかった場合、業者側は値下げを提案してくる可能性があるのだ。アテにしていた家賃を勝手に値下げされてしまって、借金の返済にも支障をきたす人も出てくる。

さらに、契約書の細かい文言には、リフォームが必須であったり、その際に指定業者を使ったりなどの制約がある。もしリフォームを拒否すれば、家賃保証は解約されてしまう。顧客である地主は永久にサブリース業者から毟《むし》られる構造になっているのだ。もちろん、これらのコストを負担しても利益を生んでいる物件が全くないわけではない。しかし、実際に自分が持つ物件が、そういうラッキーな結果となる保証はどこにもないのだ。

こんな危ういビジネスモデルを、銀行は審査しないのであろうか？　もちろん、そんなことは審査しない。融資を受ける地主に返済能力があるかどうか、土地の担保価値しか見ていないのだ。アベノミクスのお陰で、地方の土地価格も下げ止まったため、おそらくこういうビジネスが跋扈《ばっこ》したのだろう。

金融庁はこうしたアパマンローンの盛り上がりを警戒し、2017年10月に改善要求を出した。ある地方信金の支店長に聞いたところによると、実際には2017年の4月から、アパマンローンはこれ以上ダメというお達しが内々にあったらしい。それまで緩かった審査が一気に厳しくなり、事実上アパマンローンの新規案件は受付停止になっていたそうだ。

アパマンバブル発生を未然に防いだ点は評価できるかもしれないが、結果的に「かぼちゃの馬車」の破綻は免《まぬが》れなかった。やはり金融庁の指導力もその程度だし、銀行の審査能力に至ってはまさに絶望的なレベルであると言わざるを得ない。誤った規制当局の誤った政策判断と、それに唯々諾々と従う銀行の無能ぶりは全く改善されていないと考えていいのではないか。本当に恐ろしい話である。

銀行は経営危機に陥る

銀行は貸出しを増やすことによって、世の中のお金の量を増やすことができる。お金の量が増えれば景気は良くなり、企業はより多くの利益を求めて積極的に投資を増やそうとする。当然、資金需要が増すため、銀行の貸出も増えていく。貸出しが増えれば銀行は儲かるようになる。

しかも、貸出しへの需要が非常に大きくなれば、資金がむしろ足らなくなって金利が上がり始めるだろう。これがデフレからの完全脱却の最終段階で起こる「良い金利上昇」だ。金利が上がれば銀行の収益は更に改善する。セコい国債のディーリングなどしなくても、本業で食っていけるようになる。これがポイントだ。

日本がデフレに陥ったとき、日銀は金利を下げて、下げて、下げまくって最終的にはゼロに到達したが、それでもデフレが終わらなかった。その理由は、前述の通り人々のデフレ期待があまりにも強く、金利だけでは不十分だからだ。

逆に言うと、１９９０年代末までにアベノミクスと同じ政策をやっていれば、そもそも日本はデフレに陥ることはなかっただろう。日銀は1999年2月からゼロ金利政策を実施したが、翌年なぜか解除し、2001年に再びゼロ金利に復帰するという迷走を繰り返した。そして、財務省は徒《いたずら》に財政危機を煽り、景気が回復基調だった1998年と2014年に消費税を増税した。人々は日銀と財務省の迷走ぶりに失望し、再びデフレが来ると予想しているのだ。

現在、辛《かろ》うじてインフレ率がゼロより上になっている日本だが、いまだに政策的手当ては十分とは言えない。日銀は物価目標を達成していない上、物価上昇率はゼロをほんの少し上回る程度だ。こんな状況で金利はもう上がらない。無理やり金利を上げれば、貸出しが大幅に減って銀行は経営危機に陥るだろう。そうなれば再び金利を下げるしかない。結局もう金利は上がらないし、上げられないというのがマーケットコンセンサスである。

相次ぐ銀行のリストラ発表は、この状況の中で万策尽きたことを象徴する出来事ではないだろうか。昔はお上の言う通りやったらたまたま儲かっただけで、同じことを続けていたらバブル崩壊で大損し、その後は羹《あつもの》に懲《こ》りて膾《なます》を吹く状態。デフレで貸出しが伸びない時期は債券のディーリングでセコく儲け、アベノミクスが始まったらアパマンローンでプチ先祖返り。そして、それでも儲からなくなったら行員に責任を押し付けてリストラ。なんと安易な商売であろう。これを経営と呼んでいいのだろうか。私にはバカでもできそうに思えてならない。

第6章 医療・病院

「医療費激増」の真犯人

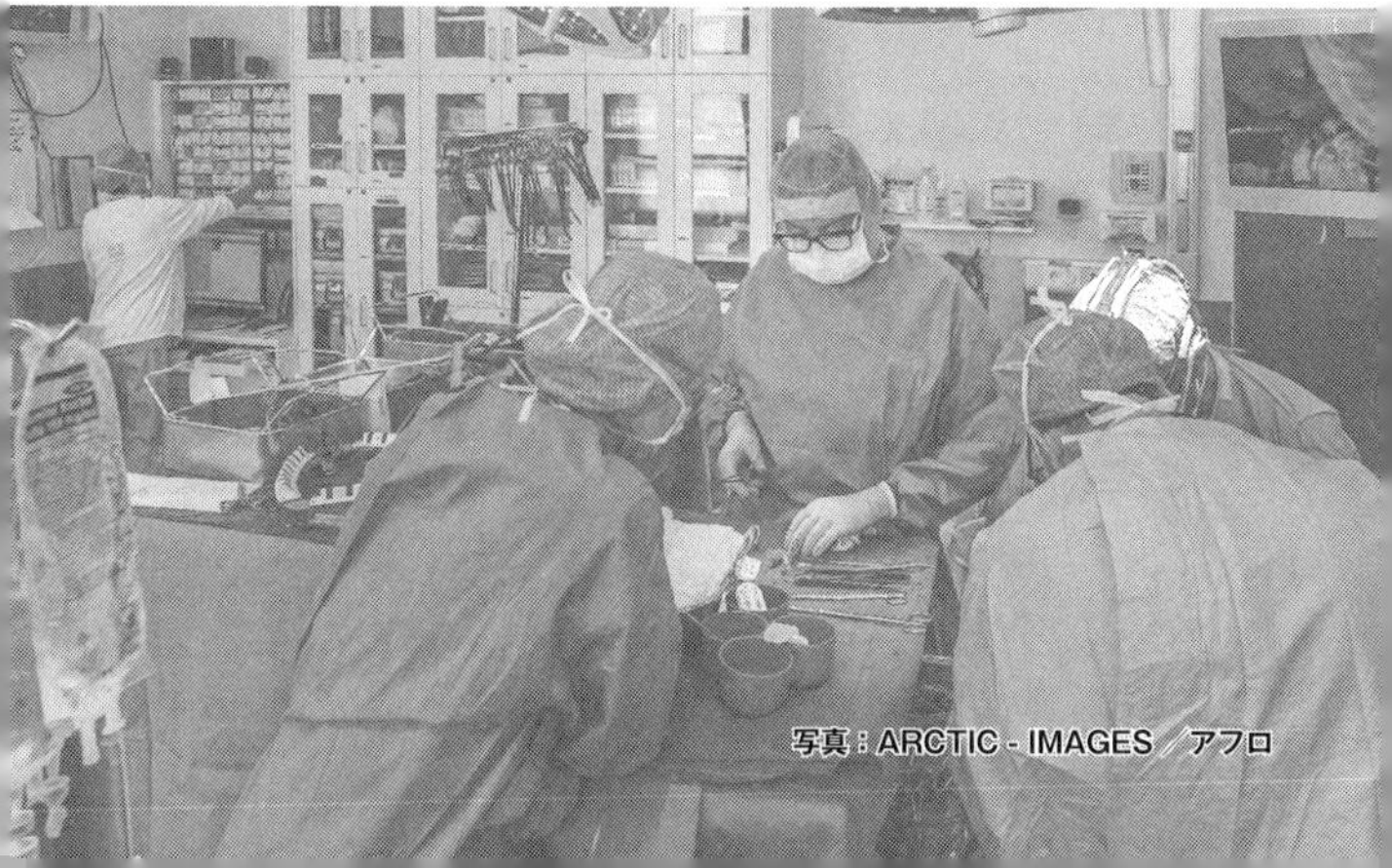

写真：ARCTIC - IMAGES ／アフロ

過剰な検査と多すぎる薬の処方

花粉症のシーズンになると、耳鼻科に長蛇の列ができる。風邪で診察を受けると抗生物質（抗菌薬）を処方される。入院するとやたらと検査を受けさせられる。

こうした私たちが当たり前だと思っていることは、実は岩盤規制のなせる業《わざ》だ。医療の分野には通常の市場メカニズムが働かない。もちろん、働きすぎても困るのだが、むしろ今は厚生労働省の過剰な介入で働かなさすぎて、市場が歪《ゆが》んでいる。

歪んだ市場のなかで利益を追求する医療機関。結果として増えるベッドと検査と薬。「高齢化で医療費が増大するから増税を！」とマスコミは喧伝《けんでん》するが、的外れだ。岩盤規制を放置して医療制度を金食い虫のままにしておけば、いくらお金をつぎ込んでも無駄である。

経済成長で財政状態が多少改善したとしても、医療費が天文学的に増大すれば、結局、財政状態は悪化すると考える人は多い。確かに、医療費の増大は問題だ。しかし、実はこの問題は、自然現象や天災とは様相が異なる。なぜなら、高齢化社会が到来したからといって医療費が必ずしも激増するわけではないからだ。

都道府県10万人あたり病床数と1人あたりの医療費の相関関係

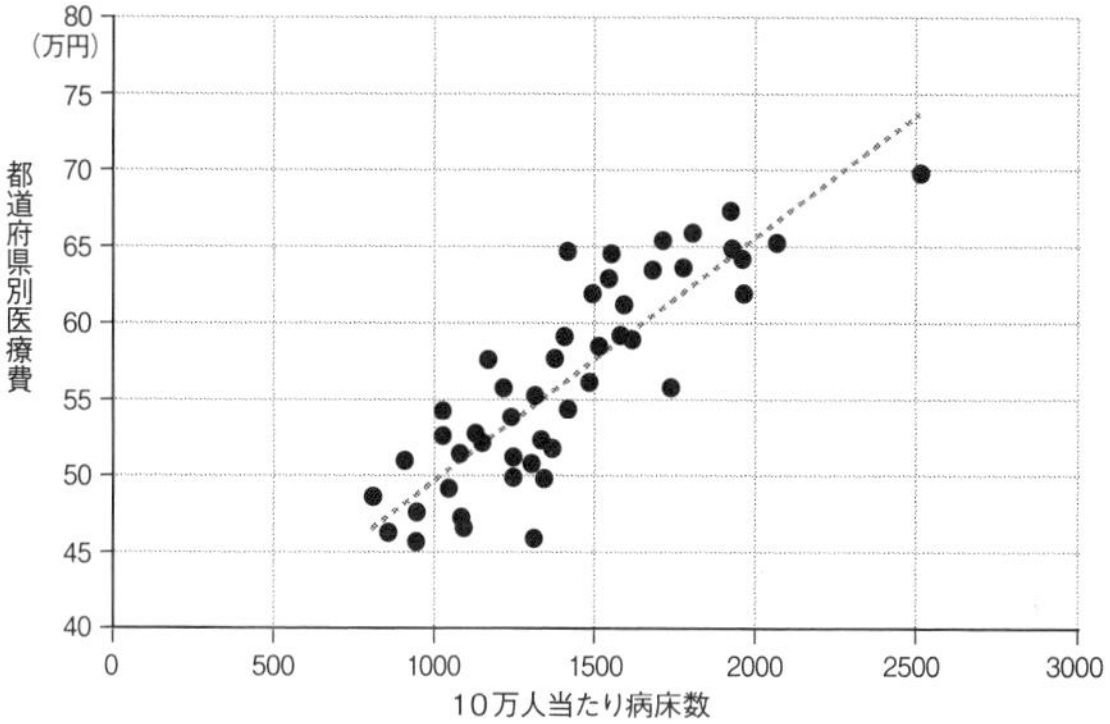

（データ出所：厚生労働省）

ここに興味深いグラフがある。上は平成27年度（2015）の厚生労働省のデータを元に、都道府県の病床数（10万人あたり）と、一人あたりかかった医療費の相関を示したものだ。あえて言おう、ここに日本の医療費増加の問題の本質が隠されている。

不思議なことに、病床数が多い都道府県ほど医療費が増大している。試しに相関係数を求めてみたが、なんと0・85もあった。通常、相関係数が0・7以上あれば強い相関があると言われる。病院はベッドの数が増えた分だけ、病人を作ってしまうのだろうか。そう疑われても仕方ないぐらいの値だ。

実は、この奇妙な相関関係について、厚

生労働省もかなり昔から公式に認めている。２００１年3月5日に発表された『医療制度改革の課題と視点』という報道発表資料に、次のような記述がある。

「人口10万人対病床数と1人当たり入院医療費の関係をみると、病床数の多い県は入院医療費が高く、逆に病床数の少ない県は入院医療費が低いという傾向がみられ、病床数と入院医療費にはかなり強い相関関係があると言えます」

やはり、病院が病人を作っているのかもしれない。ますます疑惑が深まった。いや、実は疑惑でも何でもなく、「病床数と医療費の相関」は多くの医療関係者の間ではとっくに常識になっていたのだ。ハーバード大学研究員の津川友介《ゆうすけ》氏が、日経新聞に寄稿した論説の中で次のように解説している。

医療経済学で最も基本的な数式は「医療費＝P×Q」だ。Pは医療サービスの単価、Qは消費される医療サービスの量を意味する。

米国はPが高いため患者は必要以上の医療サービスを希望しない。欧州の多くの国では、高額医療機器の数が限られていたり、専門医にかかるためにかかりつけ医の紹介が必要だったりすることで、Qをコントロールしている。一方、日本はPが

安いだけでなく、フリーアクセスで、Qを直接コントロールする手段を導入していない珍しい国だ。（中略）

日本では経済協力開発機構（ＯＥＣＤ）平均と比べて国民1人あたりの外来受診回数が約2倍、平均在院日数が約2倍、入院ベッド数が約3倍もある。またコンピューター断層撮影装置（ＣＴ）と磁気共鳴画像装置（ＭＲＩ）の台数が世界で最も多い。人口あたりの薬代をみても米国の次に多く、ＯＥＣＤ平均と比べても5割近く多い。

問題は支払制度に起因すると考えられる。日本の外来診療は出来高払いで、入院診療でも約１７００の診断群分類別包括払い（ＤＰＣ）対象病院を除くと出来高払いが用いられる。出来高払いの下ではQを高くするほど医療機関の収入は増える。つまり診療報酬制度による医療サービスの単価引き下げと出来高払い制度が組み合わさり、「薄利多売」で収支を合わせるという日本の医療機関の現在の状況が形成されたと考えられる。（『日本経済新聞』２０１７年5月12日「医療費抑制に新たな視点（下）　科学的根拠に基づく改革を　出来高払いでの管理限界」津川友介・ハーバード大学研究員 https://www.nikkei.com/article/DGKKZO16236170R10C17A5KE8000/）

引用文中にもある通り、医療費は医療サービスの単価と、提供されるサービスの量の掛け算で決定される。もう一度その式を確認しておこう。

医療費＝Ｐ（医療サービスの単価）×Ｑ（消費される医療サービスの量）

日本の場合、Ｐ（医療サービスの単価）は診療報酬制度で価格が固定されている。よって、医療費の増大の原因となっているのは、Ｑ（消費される医療サービスの量）である。

①　病院に通う人が増えるから医療費が増える。
②　たくさん検査をするから医療費が増える。
③　入院日数が増えるから医療費が増える。

これがこの公式から導き出される客観的な事実だ。

人口1000人あたり病床数の国際比較

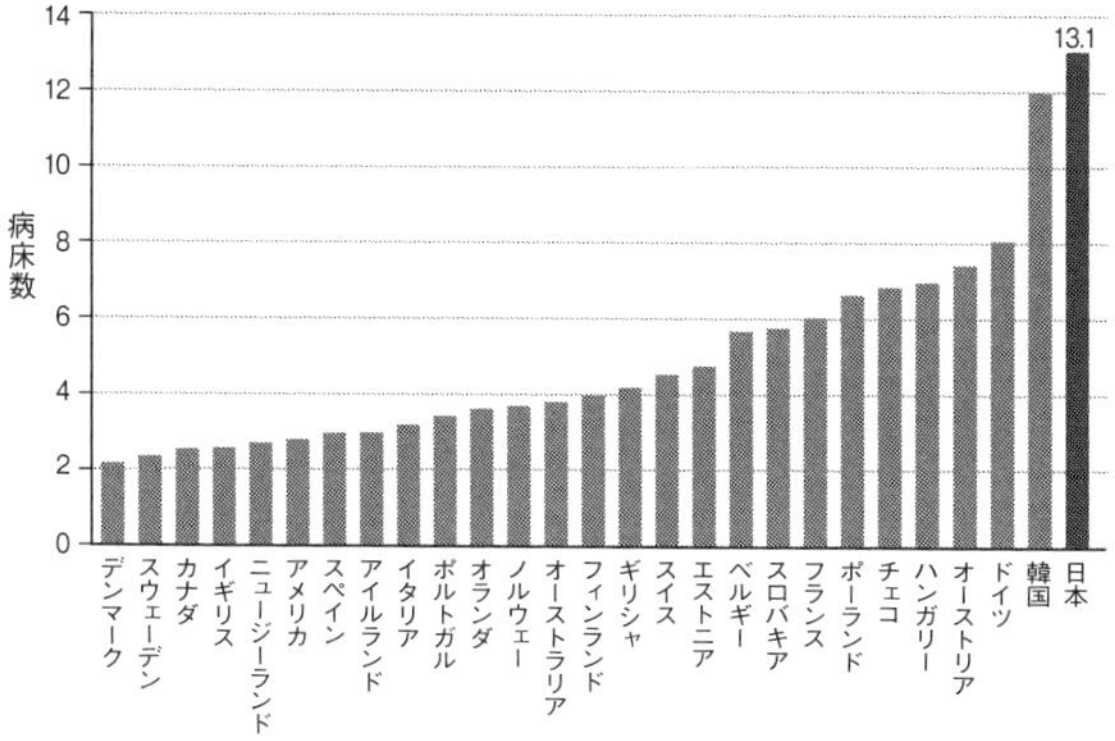

（データ出所：OECDヘルスデータ https://data.oecd.org/）

日本の医療制度は出来高払い

念のため他のデータでも補強しておこう。上のグラフは人口１０００人あたりの病床数の国際比較データ（２０１６年）である。ＯＥＣＤ加盟国の平均値は４・９床であるのに対して、日本は13・１床もある。一見して分かる通り、日本の病床数はＯＥＣＤ平均の約２・５倍、断トツの１位だ。

また、２０１４年時点で人口１００万人あたりの磁気共鳴画像装置（ＭＲＩ）設置台数はＯＥＣＤ加盟国平均15台であるのに対して、日本はその３倍以上の51台だった。同年のＣＴの人口１００万人あたりの台数はＯＥＣＤ平均で26台だが、日本は１０７

台だった。こちらは実に平均の4倍である（データ出所はいずれもＯＥＣＤ）。
確かに、国民一人あたり十分なベッド数が確保されていること、最先端の医療機器へのアクセスが容易であることは悪くはない。たしかに、２０２０年の武漢肺炎のパンデミックの際には、これまで過剰で無駄だと思われていたＣＴが意外にも役に立ったという。しかし、それだけをもって過剰設備は正当化されるのだろうか。仮にそうだとしても、現在の「質の高い医療」を続けるのであれば、そこに横たわる高額な維持コスト問題を避けて通ることはできない。

これまで見てきた各種データから、日本の医療制度、特に診療報酬制度は間違ったインセンティブ設計になっていることが分かる。出来高払いという制度によって、病院は利益を出すために「薄利多売」を強《し》いられる。

医療サービスの消費量を増やせば増やすほど医療機関の収入は増える。つまり、一人の患者に対してなるべく多くの検査、投薬、処置を行えば行うほど、利益が増す仕組みになっている。ベッドはそれを支えるインフラである。なぜなら患者が入院してしまえば、次から次へとたくさんの医療サービスを投入できるからだ。

制度設計がそうなっている以上、病院経営者がその制度を前提として利益を追求するのはむしろ当然のことだ。現場の医師の個人的なモラルでこの状況を変えられるはずもない。むしろ、現場の医師や看護師の献身的な仕事によって、日本の医療制度はギリギリのところで支えられていると言っていいだろう。

この構造を放置したまま、医療に今以上の多額の税金を使ったところで状況は変わらない。薄利多売のビジネスモデルが変わらない限り、現場の医師、看護師の負担は減ることはないからだ。

ところが、マスコミは医療費増大の原因は高齢化であり、人口減少で若者が減るので大変だと煽《あお》っている。必ずしも間違いではないが、的外れだ。結局、それは社会保障予算をたくさん確保したい厚生労働省、大盤振る舞い大好きな財務省に忖度《そんたく》したある種のフェイクニュースである。特に、財務省は医療費増大を口実に増税したいだけのようにも見える。そんな財務省から情報リークでネタを取っているマスコミは、「ご説明」をコピー&ペーストして記事にしているだけなのだろう。

健康保険などの社会保険の自己負担額は、税金と同じ性質のものだ。社会保険料率が改定になるたびに給与明細の手取り額が微妙に減って、愕然《がくぜん》としたことはないだろうか。もちろん、支払った保険料が質の高い医療に使われているならまだ我慢もできる。しかし、出来高払いという間違ったインセンティブ設計のために、我々が無用の出費を強いられているとしたら、納得いかないだろう。

その治療、「科学的根拠に基づく医療」ですか?

医療費の増大という問題を解決するために、本来我々が取り組むべきは「薄利多売」化する出来高払いという制度の見直しであり、多すぎる病床数の削減であり、急性期の医療から「ささえる医療」へのシフトチェンジである。この点については後述する。その前に、大前提として日本はもっと徹底した「エビデンス(科学的根拠)に基づく医療」(EBM:Evidence-based medicine)を実施すべきだ。治療の有効性を科学的に検証し、効果のない治療はやめてしまえばいい。それだけで相当な無駄が省けるはずだ。

現在、「エビデンスに基づく医療」は必ずしも実施されていない。とはいっても、医師がいい加減な診断・治療をしているわけではない。今でも、診断、治療は何らかの証拠に基づいて行われている。問題はその「何らかの証拠」の中身だ。多くの医師にとっての「何らかの証拠」とは、これまでの経験や指導者や同僚からの情報、偶然読んだ学術論文、たまたま出席した会議や会合などで聞いた話が漠然と組み合わさったものではないだろうか？　これではＥＢＭにはならない。

医師が個人的な経験などによらずとも、最も効果的な治療法に瞬時にたどり着く適切な戦略が常に選択されなければならない。このようなアプローチこそが「エビデンスに基づく医療」（ＥＢＭ）である。

例えば、私は昨年風邪をひいて医者にかかったが、その際抗生物質（いわゆる抗菌薬）や漢方薬も含めて計５種類の薬を処方された。確かに風邪は治ったが、この薬が効いたのかどうかは分からない。そもそも、風邪を治す薬は未だに発明されてないはずだ。大体、ウイルスに対して、抗菌薬が効くわけがない。

抗生物質などの抗菌薬はウイルス性の風邪には効かないにもかかわらず、約６割の診療所は患者から強く求められると処方していることが、わかった。日本化学療法学会と日本感染症学会の合同調査委員会が１日、岡山市で開かれている学術集会で発表した。抗菌薬を誤って多用すると薬が効かなくなる耐性菌が増えることから、国は適正処方を求めている。

今年2月、無作為に選んだ全国1490カ所の診療所に郵送でアンケートをして、269カ所から有効回答を得た。ウイルス性の普通の風邪「感冒《かんぼう》」と診断した患者やその家族が抗菌薬を希望した場合、「希望通り処方する」が12・7％、「説明しても納得しなければ処方する」が50・4％で、計約6割を占めた。（『朝日新聞』2018年6月2日https://www.asahi.com/articles/ASL5T6VM5L5TULBJ01H.html）

私だけが例外ではなく、なんと過半数を超える約6割の診療所で、風邪に抗菌薬を処方していた。EBMの観点からは、全くもって無駄な投薬だったと言えるのではないか？

他にも、乳がんの早期発見のために行われる胸部マンモグラフィ検査の有効性にも疑問が指摘されている。現在、日本の自治体では女性が一定の年齢以上になると、この検査を受けるよう勧める手紙が届く。税金で負担し、タダで受けられるケースも多い。しかし、本当にこの検査を受けることで、乳がんで死ぬ人は減らせるのか？　実はこの点もエビデンスは希薄だ。2013年に公表されたコクラン・レビューによれば、マンモグラフィが、がんによる死亡率や総死亡率を低下させる根拠は見つからなかった。

適切なランダム化を行った3研究のメタ解析の結果、マンモグラフィを行った群と行わなかった群で、10年後のがんによる死亡率において統計学的に有意な差がなかった。（中略）総死亡率（あらゆる原因による死亡）については、適切なランダム化を行った3研究のメタ解析では、7年後および13年後のいずれにおいても、2つの群の間で有意な差がなかった。（中略）

以上のとおりコクラン・レビューは、マンモグラフィを使った乳がんの検診の有効性に疑問を投げかける結果となっている。加えて、このレビューでは、マンモグラフィの弊害《へいがい》について言及している。1つ目の弊害として、マンモグラフィの受診者の中には偽陽性《ぎようせい》の結果が出る人がでて、何年にもわたって心理的な苦痛を経験することが挙げられている。

2つ目の弊害として、マンモグラフィによって乳がんの過剰診断が行われることが指摘されている。それによると、マンモグラフィで発見された乳がんの中には成長が遅かったり自然に退縮したりするものも含まれており、こうした治療の必要性の乏しい乳がんまでもが治療されるとされる。ただし、現状では、マンモグラフィで発見されたがんが本当に治療の必要なものかどうかを見極めることはできないと指摘されている。（関沢洋一「エビデンスに基づく医療（ＥＢＭ）探訪」https://www.rieti.go.jp/users/sekizawa-yoichi/serial/001.html）

「偽陽性の結果」とは、本当はがんでないのに「がんの疑いがある」という間違った診断が出てしまうことだ。いわゆる検査ミスといっていい。しかし、問題は「偽陽性」の判定を受けた患者だ。そのために精密検査を受けたり、長期間にわたって経過観察をしたりしなければならない。その精神的苦痛たるや半端ではないだろう。不必要な死の恐怖を与えることが果たして医療なのだろうか？

がんの過剰検診問題は、原発事故のあった福島県で深刻である。甲状腺がんは多くの人が気づかずに天寿《てんじゅ》を全《まっと》うしてしまうぐらい進行の遅いがんだ。大抵の人は、甲状腺がんにかかっている自覚がないまま、普通に生活している。なので、ほとんどの日本人は死ぬまでに一度も甲状腺がんの検査を受けることはない。

ところが、福島では活動家が「福島の放射能はヤバい！」とデマを喧伝し、恐怖に駆られた人々が甲状腺がんの過剰検診を受けている。もちろん、その検診を行うのは活動家たちが運営する診療所だ。患者に寄り添うふりをして、たくさんの甲状腺がんを作り出しているのだ。東京大学医科学研究所研究員で、震災後は福島県南相馬市立総合病院で非常勤医を務め、県民の内部被ばく検査を続けている坪倉正治医師が、国際機関のデータを引用しつつ、過剰検診問題を次のように批判している。

国連科学委員会（ＵＮＳＣＥＡＲ）の２００８年の報告書によると、チェルノブイリ原発事故で避難した人々の平均甲状腺線量は、ベラルーシで平均１０７７ｍＧｙ（ミリグレイ）、ロシアで４４０ｍＧｙ、ウクライナで３３３ｍＧｙだった。これに対しＵＮＳＣＥＡＲの２０１３年の報告書では、福島の原発事故では飯舘《いいたて》村など福島県内で最も高いグループでも、平均甲状腺吸収線量は20歳で16～35ｍＧｙ、10歳で27～58ｍＧｙ、１歳で47～83ｍＧｙと推計されている。

「つまり、チェルノブイリと比べ、被ばく量がケタ違いに低いのが福島の原発事故です。チェルノブイリ原発事故で判明している被ばく量と甲状腺がんのリスク上昇との相関関係を福島に当てはめると、福島の場合は被ばくの影響は目に見えて分かるレベルに到達するとは考えづらいです」（https://thepage.jp/detail/20160120-00000003-wordleaf）

日本では未だに菜食主義が体にいいとか、水素水が効くとか、ブルーベリーを食べると視力がアップするとか思い込んでいる人が多い。以前、東京都の小池知事は豊洲《とよす》問題について安全だが安心ではないなどと意味の分からないことを言っていた。根拠のない医療行為は効果がないばかりか、徒《いたずら》に患者に不安を与える。わざわざお金を使ってなぜこんな無意味なことをしなければならないのか？　多少改善されつつあるとはいえ、いまだ日本の医療制度に本格的なＥＢＭが組み込まれているとは言い難い状況だ。冒頭に引用した津川氏は次のように述べている。

欧米では政策の制度設計はエビデンス（科学的根拠）に基づくべきだとの考え方が浸透している。政策立案の段階で十分なエビデンスが存在しない場合には、経済学の理論に基づき綿密に制度を設計して、導入後に実際のデータを用いた政策評価をする。そしてエビデンスを集め、それを基に制度に変更を加えていくのが一般的

だ。米国の医療保険制度改革法（オバマケア）でもこうしたプロセスが用いられた。この点が日本と大きく異なる。（中略）

米国での研究では医療費の2～3割は無駄と推定され、日本の医療でも無駄は存在すると考えられる。これは、医療の質を犠牲にせず医療費を抑制できることを示唆する。（中略）日本でもエビデンスに基づかない医療サービスは保険適用対象から外すべきだ。エビデンスのない医療サービスは医療費の無駄だけでなく副作用などのデメリットもある。具体例としては、風邪に対する抗生剤や風邪予防のためのうがい液などが挙げられる。

総合感冒薬、湿布薬、抗アレルギー薬など安価な薬も保険適用対象から外し、処《しょ》方箋《ほうせん》なしに薬局で購入するようにすれば不要な受診や検査が減る。重篤な疾患に用いられる治療の中にもエビデンスが不十分で、日本でのみ使われる薬が存在する。

(http://www.nikkei.com/article/DGKKZO16236170R10C17A5KE8000/)

年間16万2400円の負担減が即可能

医療費が増加している最大の問題は、やはりエビデンスに基づく治療のガイドラインの不徹底だ。結局、それが過剰診療を招き、多額の医療費を使って効果のない治療を行うという愚かしい状況を招いている。政治家や官僚は自分の努力不足を棚に上げて、医療費は高齢化によって必然的に増大するかのように言うが、これは単なる責任逃れだ。

さらに言えば、エビデンスに基づかない治療に加えて、先ほど指摘した出来高払いによる「薄利多売」、過剰な病床などの構造的問題が重なっている。このように複雑化、重層化した医療費問題が単に税金を投入するだけで解決するわけがない。

前述した通り、日本の人口あたりの病床数は他の先進国に比べてかなり多い。しかも、その中に占める急性期の病床の数が特に多くなっている。急性期の治療とは、急性の病気にかかった人を治療し、短期間で退院させることに主眼を置く。持病のある高齢者が経過観察や処置などのために病院に通う場合とは根本的に違う。ところが、高齢化がこれだけ進んでいるにも拘《かかわ》らず、日本の病院には急性期の病床が多い。この点について、経済学者の鈴木亘《わたる》氏は次のように述べている。

わが国の高齢化は今後一層進展するので、重症患者のための急性期病床よりも、高齢者などがリハビリをするための回復期病床が数多く必要となる。だが現状は高度急性期を含む急性期病床が全体の約6割を占め、回復期病床は1割程度にすぎない（図参照）。25年の目指すべき姿から大きくかけ離れていることは言うまでもなく、現状でも相当のミスマッチが生じている。（中略）

このため人口構成や患者ニーズの変化に応じて、地域ごとにきめ細かな病床再編を進めて、ミスマッチを速やかに解消する必要がある。入院医療費は病床に規定される部分が大きい。機能別病床を適切に再編すれば、医療費を大幅に削減できる。筆者の試算では、急性期と回復期

機能別病床数の現状と2025年の目指すべき姿

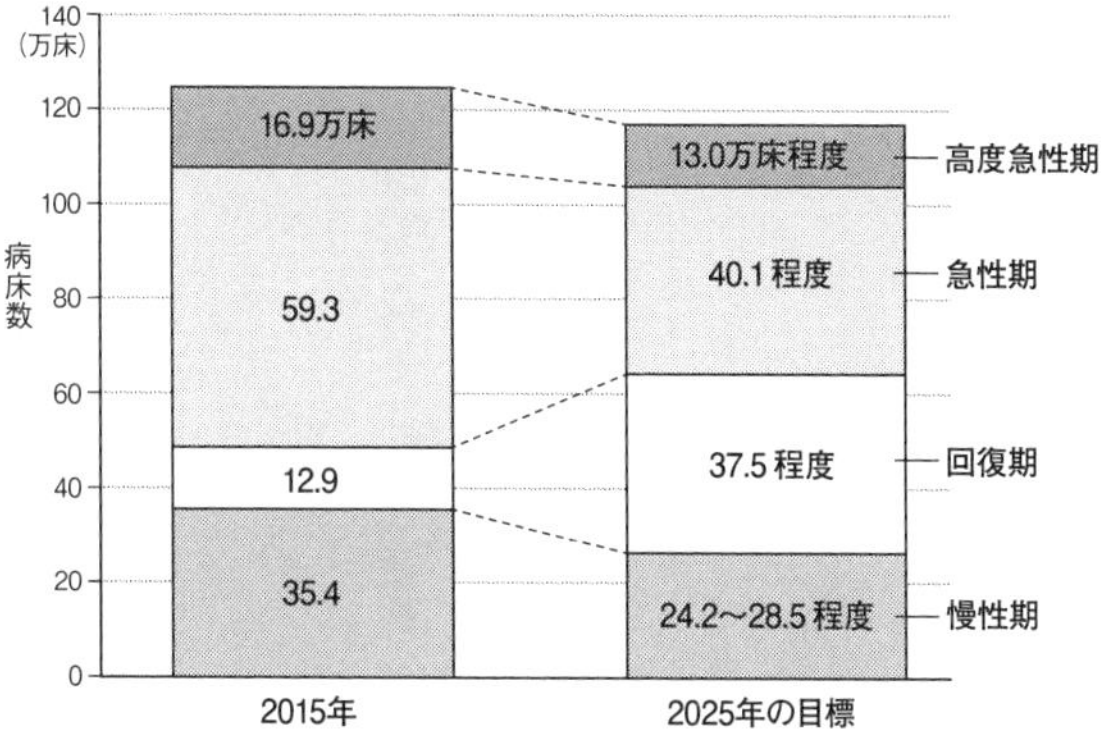

（データ出所：鈴木亘氏記事）

の病床数を図の25年の目標に再編できれば、総医療費は最大28％減少する。（『日本経済新聞』２０１７年5月11日「医療費抑制に新たな視点（中）急性期病床削減へ誘導を病床取引市場も選択肢に」鈴木亘・学習院大学教授　http://www.nikkei.com/article/DGKKZO161769001052017KE8000/）

急性期病床と回復期病床の割合を調整するだけで、医療費は最大28％も削減できるそうだ。現在、国民健康保険の基礎（医療）分保険料は年間58万円である。単純にこれが28％減らせるなら年間16万２４００円、月額で1万３５３３円が浮く計算だ。浮いたお金が消費に回れば景気も良くなり、保険料の担《にな》い手の雇用や収入も安定するだろう。まさに一石二鳥の効果ではないだろうか。

医療サービスのミスマッチを解消する方法

現在は病床の取引が認められていないため、価格調整メカニズムは働かない。そのため、ある地域で急性期病床が不足し、反対に回復期病床が過剰であっても価格は変動しない。その結果、医療サービスのミスマッチは解消されないまま放置されてしまう。もし、厚生労働省が余計な市場介入をしなければ、本来前者の価格が上昇し、過剰な後者の価格は低下するはずだ。つまり、このミスマッチを解消するには、病院間の病床取引を認めるしかない。鈴木氏は同記事の中で次のように述べている。

地域ごとに病床取引市場をつくり、病院間の病床の売買を認めることだ。例えばある地域で、地域全体で急性期病床を20％削減するのが目標となったとしよう。まず急性期病床を持つ地域内の全病院に、いったん急性期病床を一律20％減らして、回復期病床に転換する義務を課す。

当然その中には、重症患者が多く、急性期病床を絶対に減らしたくない病院もあるだろう。その一方で、急性期病床の稼働率が低く、40％減らしてもよいという病院もあるかもしれない。その場合、前者が後者の急性期病床を買い取り、両者合計して20％の削減目標を達成する。

実際には、多数の病院間で一床から自由に売買できるようにする。物理的な病床ではなく、病床を持つ権利を取引するのである。医療界では新奇なアイデアだが、二酸化炭素（CO_2）の排出枠取引では以前から一般的な手法だ。

急性期病床を従前よりも多く買い取ることも可能だ。他の病院よりも高い買い取り価格を市場で提示し、急性期病床を多く購入しようとする病院は、他の病院よりも費用面で効率的な運営をしているはずだ。効率的な病院に多くの病床が集まることで、地域医療全体の効率性も増す。

こうした方法は、人口減少が進む地方で、地域全体の病床数を削減しなければならない場合にも使える。地域の中には病院経営者の高齢化が進み、あまり稼働していない病床も存在する。こうした病床を元気な病院が買い取ることで医療の質が向上し、数量減のショックをある程度緩和できる。病床を買い取ることで新たな病院が参入できるようになるから、新陳代謝も促《うなが》される。さらに中小病院から大病院への病床再編が進めば、スケールメリットにより地域医療が一層効率化する。(http://www.nikkei.com/article/DGKKZO16176900100520l7KE8000/)

医療制度に無駄が生じやすい原因は、監督官庁である厚生労働省が余計な介入をすることにある。そのせいで、市場の調整機能が働かなくなることが、誤ったインセンティブを発生させ、問題をより複雑にしていると言える。

もちろん、医療分野において自由な価格競争を行う弊害もある。少なくとも公的な医療保険の適用を受ける場合、国民が容易にアクセスできなければ意味がない。イギリスやオーストラリアは、公的医療制度はあるが、医療サービスの供給が絞られているため、とんでもない待ち時間を我慢しなければならない。また、アメリカのようにすべてが自由診療で、加入している医療保険によって、受けられる治療とそうでない治療があるというのもかなり厳しい。これらに比べて日本の医療制度は優れている点もたくさんある。

とはいえ、そんな素晴らしい制度も、今のまま何の見直しも行わずに放置したら、いずれ維持することができなくなってしまう。しかも、単に税金を投入しただけで解決できるような問題でもない。やはり、できるだけ早くEBMの導入や、薄利多売になりがちな出来高払いの見直しを進めなければなるまい。

なぜ財政破綻《はたん》の夕張市が医療費削減に成功したのか？

一つのヒントになるのは財政破綻した夕張市の取り組みだ。夕張市は2007年の財政破綻で総合病院が消え、医療が崩壊したと言われている。総合病院は財政破綻の年に閉鎖され、代わりにたった19床しかない診療所ができた。持病のある高齢者は医療難民のような状態になるのかと思われたが、結果は全く違った。

財政破綻以降、なぜか夕張市の高齢者の健康状態は悪化しなかった。いくつかの病気については罹患率《りかんりつ》が下がっている。ついでに高齢者の医療費も下がった。これは財務省にとって極めて不都合な事実だ。週刊日本医事新報に掲載された『夕張希望の杜《もり》の軌跡』という論説の中に、実際に起こったことを示すデータがあるので、以下抜粋する。

- 医療崩壊以降、市民の死因上位3疾患の標準化死亡比（SMR）は大きく低下。例えば、夕張市民の胃がんのSMRは2006年には134・2だったが、医療崩壊後の2010年には91・0まで約3割5分も低下した。肺炎については125・0（2006）から96・4（2010）まで低下。
- 全国平均の医療費は年額100・3万円（2006）から年額104・7万円（2010）へと増加したが、夕張市の医療費は83・2万円（2006）から73・9万円（2010）へと実に13％も減少した。

- 全国平均の介護費は月額14・８万円（２００７）から15・５万円（２０１５）へと大幅に増加したが、夕張市の場合15・９万円（２００７）から15・９万円（２０１５）と横ばいで推移。
- 「健康リスクが高い人が転出したのではないか」との指摘があったが、人口統計を調べると、ここ20年で総人口は確かに半減しているが、高齢者人口は横ばいである。つまり、健康リスクの高い人の割合が上がっているにも拘らず、死亡率低下、医療費削減を実現したことになる。（『週刊日本医事新報』http://www.jmedj.co.jp/）

夕張市では、定期的に医師や看護師が患者宅を訪問して診療、看護を行うことが増えたそうだ。診療所の所長としてこのプロジェクトを進めた森田洋之《ひろゆき》医師は「医師と患者が普段から接触を持つことで、健康状態や価値観を理解して適切な治療を選択できるようになった。それが結果的に医療費削減につながった」と述べている（http://business.nikkeibp.co.jp/atcl/opinion/15/221102/062200257/）。

夕張市のように高齢化率45％の超高齢化自治体では、患者の大半は高齢者であり、たいてい持病がある。彼らに対して行う医療は「治す」ことを目的とした医療ではない。むしろ、症状をコントロールしながら長く病気と付き合うこと、言ってみれば「ささえる医療」が必要だ。夕張市は財政破綻により高価な検査機器や高度な手術ができる施設を手放したが、逆に「ささえる医療」に特化した。その結果、高齢者の死亡率は変化せずとも、死因に占める病死の割合が下がった。その代わり、老衰による自然死が増えたのだ。人間としてどちらがより望ましいか、いちいち述べるまでもない。

高齢化社会は日本にとってチャンス

夕張市と同じ取り組みを国レベルで行ったのが、スウェーデンだ。1990年代に日本と同じような状況にあったスウェーデンは、主に以下の3つの改革を行い、成功したと言われている。

① コミューン（日本で言う市町村）への大胆な権限委譲

② 医療施設から在宅医療へ（機能ごとに区別されてきた老人ホーム、サービスハウス、ナーシングホーム、グループホームなどの「施設」を、コミューン管轄の「特別な住居」

スウェーデンの80歳以上高齢者の病床数（床／100人あたり）

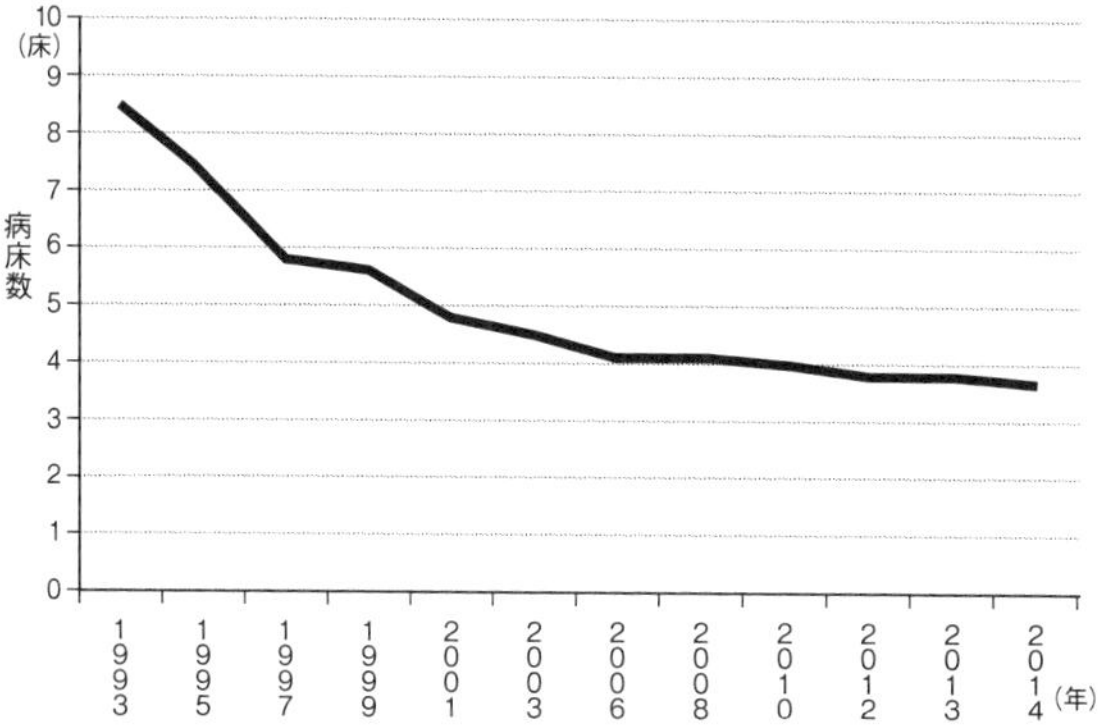

（データ出所：大和総研調査季報）

に統合し、高齢者の「住居」として認識する概念が導入された）

③　看護師・ホームヘルパーの権限拡大（一部の医療行為を医師でなくても出来るように法律を変更）

病床数と医療費の相関関係は、当時のスウェーデンでも常識だったようだ。寝たきり老人をたくさん作れば医療費が増大する。しかも、高齢者のＱＯＬ（Quality of life：生活の質）は著《いちじる》しく下がる。そこで、ベッドの数を大幅に減らし、入院せずともほんの少し手伝えば普通に暮らせる高齢者を一気に在宅医療に切り替えた。そのための住宅である「特別な住宅」を作り、看護師や

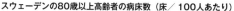

ヘルパーの医療行為を解禁するなど大胆な改革を行った。

高齢者は一定の助けを得ながら、「特別な住宅」で自立して生活するようになった。それまでは医療のカテゴリで処理してきた問題を、福祉のカテゴリで処理することに切り替えたのだ。その結果、入院しなくてもいい高齢者は寝たきりにならず、結果的に寝たきり老人が全くいない世の中が出来上がった。

OECDの最新の統計によると、人口1000人あたりの病床数は日本が13・1なのに対して、スウェーデンは2・3である。また、同統計によれば、GDPに占める保険医療支出の割合は日本の10・9%に対して、スウェーデンは11・0%である。現時点で日本はスウェーデンに並んでいるから、この改革を行うポテンシャルは相当高いと言っていいだろう（石橋未来「スウェーデンの介護政策と高齢者住宅」大和総研調査季報21　http://www.dir.co.jp/research/report/japan/mlothers/20160301_010684.pdf）。

ただし、スウェーデンのやり方が全く問題ないわけではない。2020年、スウェーデンの高齢者施設では武漢肺炎の集団感染が多発、大勢の死者が出た。これらの施設で働く介護士には外国人が多く、彼らは比較的狭い家で大勢で暮らしていた。そこで発生したクラスターが高齢者施設に飛び火した格好だ。医療費の削減を徹底するあまり、外国人の安い労働力に頼ったことが別のリスクを顕在化させたと言っていいだろう。

高齢化社会は先進国共通の課題である。今後は医師、看護師不足や負担軽減のため、ウエアラブル端末などを利用した医療のＩＴ化、ＡＩ化が進むのではないだろうか。世界的にはInternet of Medical Things（ＩoＭＴ）の本格導入が始まりつつある。まさに世界経済の成長分野であるが、果たしてこの分野における日本の規制緩和は間に合うのか？　医療制度改革と同時に、大きなビジネスチャンスが訪れている。

以上のように、「高齢化が進めば医療費は増大する」という話は必ずしも正しくない。ＥＢＭの導入、病床取引の自由化、夕張市やスウェーデンの実践を取り入れるなど、やれることはたくさんある。ポイントは、これらの改革が必ずしも医療の切り捨てになっていないことだ。実際に夕張市やスウェーデンでは寝たきり老人が減ってい る。医療費も減って患者のＱＯＬが向上するならまさに一石二鳥である。さらに、ＩＴやＡＩの介護分野への応用など、見方を変えれば高齢化社会はチャンスだ。

にも拘らず、日本においてこの問題は負担の増加、増税の口実としてしか語られて

いない。現状の制度、つまり岩盤規制を維持することを前提として議論を続けるから
そうなってしまうのだ。ここにもまた一つ、岩盤規制の問題が横たわっている。

第7章

朝日新聞

財務諸表分析でわかった深すぎる闇

写真：三木光／アフロ

朝日新聞の株主のために

本書読者の大半は「朝日新聞なんぞ早くなくなったほうがいい」と考えていることだろう。もちろん私もその一人だ。しかし、今回は敢えてその感情を押し殺してこの原稿を書いている。なぜそんなことをするのか？　奇妙に思われる方もいるだろう。

慣れ親しんだテーマであっても、異なる視点からのアプローチによって、これまで見えてこなかった新しい問題点に気付かされることがある。私は大学時代、弁論部に所属し、日本語ディベートでそのことを学んだ。ある論題に対して、自分の主義主張とはかかわりなく肯定、否定を論じることには大きな意義があると思う。

たとえば、「憲法九条を改正すべきだ」という考えを持った人間が、敢えて憲法改正反対の立場に立って本気で議論してみることがそれに当たる。こうすることで、反対派のロジックをより深く理解でき、かつ、自身のロジックの穴を埋め、強化できる。もし憲法改正について理論武装を強化したいのなら、ぜひ一度、反対派のロジックにどっぷり浸《つ》かってみることをお勧めしたい。

今回、私が試みることはこれに似ている。ただ、通常のディベートとは違い、単純に朝日新聞を擁護する立場には立たない。なぜなら、朝日新聞擁護派はそれなりの数と規模を持ち、すでに多くの論点が提示されているからだ。しかも、その多くは論点のすり替えや同じ話の繰り返しであり、見るべきものはない。

今回、私が立脚する立場は「資本の論理」だ。商売目線、投資家目線と言い換えてもいい。敢えて朝日新聞の歴史的な大罪には目をつぶり、一つのビジネスとしてのリスクとリターンという視点で考察する。独立してしばらく経営コンサルタントで飯を食っていた人間として、そしていまでも元会計士の勝間和代と「株式会社監査と分析」を共同経営している経営者として、朝日新聞の過去5期分の有価証券報告書を眺めてみる。

敢えて言うなら、今回私が演じる役割は、朝日新聞の株主に雇われたコンサルタントである。朝日新聞という事業のリターンを最大化し、リスクを回避するための最適な戦略を提案するのが私のミッションだ。それは同時に、この株を保有し続けるべきか否かの評価でもある。ちなみに、株主の村山家が本当に望むなら、私はこの件について直接説明しに行ってもいいと思っている。しかも無料で。

読者の皆さんも、朝日新聞の大罪についてはしばし横に置いて、株主になったつもりで本章をお読みいただきたい。

あり得ない会計報告

今回、私が入手したのは、朝日新聞グループの過去5期分（2015年3月期〜2019年3月期）の有価証券報告書だ。これらはＥＤＩＮＥＴ（金融商品取引法に基づく有価証券報告書等の開示書類に関する電子開示システム）に公開されている。

ご存知の方も多いと思うが、朝日新聞グループは、朝日新聞社を中核としていくつもの企業が資本関係を結び形成されている。その概要は次ページの図のとおりである。

事業系統図によれば、主な事業セグメントはメディア・コンテンツ事業（新聞出版事業）、不動産事業、その他の事業の3つに分かれている。メディア・コンテンツ事業には、朝日新聞出版や朝日学生新聞社といった明確に新聞出版事業にかかわる企業から、朝日プリンテックのような印刷会社、朝日販売サービスのようないわゆる新聞拡張団、折り込み広告の代理店や運送会社などの関連事業が含まれている。

不動産事業のなかには、朝日エアポートサービスという異色の存在もある。この会

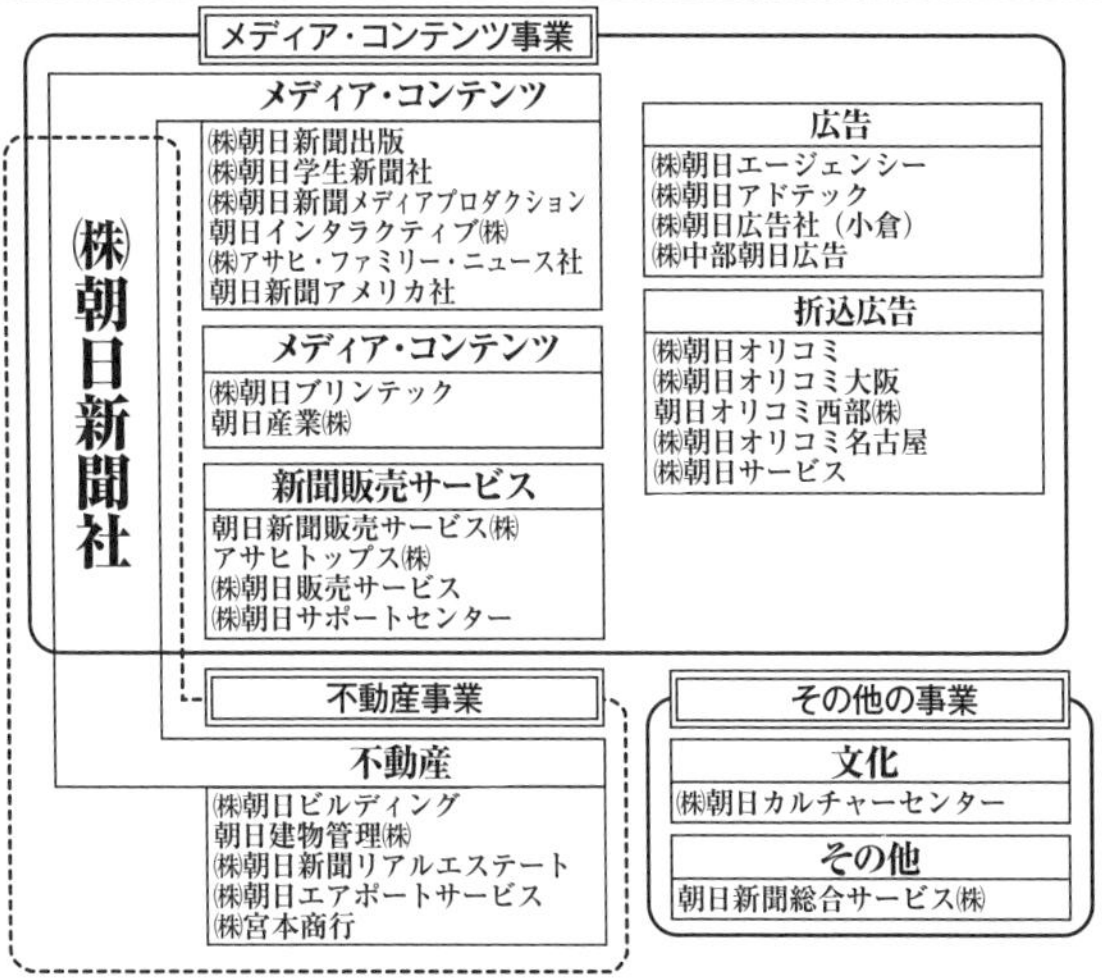

（注）1．上記以外に、持分法適用非連結子会社が1社、持分法適用関連会社が42社ある。
2．持分法適用非連結子会社には㈱三和広告社、主な持分法適用関連会社には㈱日刊スポーツ新聞社、㈱日刊スポーツ新聞西日本、㈱朝日広告社、㈱トッパンメディアプリンテック東京、㈱トッパンメディアプリンテック関西、㈱日刊スポーツ印刷社、㈱テレビ朝日ホールディングス、朝日放送グループホールディングス㈱、㈱朝日旅行などがある。
3．持分法適用関連会社だった㈱朝日新聞販売サービス名古屋は2018年4月、自己株式の取得に伴い当社の議決権比率が増加したため連結子会社に加え、その後、非連結子会社の㈱朝日サポートセンターと合併し、商号を㈱朝日サポートセンターに変更した。

出典：有価証券報告書（2019年3月期）

社は空港の免税店、カフェ、機内食などを手掛ける会社で、2018年度売上高は96億円もある。以前は「その他の事業」に分類されていたが、2018年3月期からなぜか「不動産事業」にセグメント変更になった会社だ。

有価証券報告書には、これら企業グループを合算した連結決算と朝日新聞社の単体決算が区別されて掲載されている。そのため、単純に連結決算ベースの売上高には、こういった新聞事業そのものとは関係ない数字が大量に混入していることになる。

5年で売上が611億円減少

では、連結決算ではなく、単体決算で見ればいいのかというと、これもそう単純ではない。なぜなら、朝日新聞社単体の決算の場合でも、その売上高には広告掲載料やおそらくイベント収入などが混入しているため、新聞購読料売上の純額は見えにくくなっているからだ。

投資先の事業を評価するために、会計上の数値を正確に把握するのは基本中の基本だ。しかも、朝日新聞グループの売上のうち、新聞出版事業の占める割合は89・2%（2019年3月期）であり、まさにこれが事業の中核と言える。

ところが、朝日新聞の有価証券報告書をくまなく読んで探しても、新聞の有料購読者数および購読料売上は発見できない。元から記載されていないのだ。事業の中核である新聞事業の有料顧客数を把握できない会計報告などあり得るだろうか？

私は都心および横浜市に格闘技ジムを10店舗経営しているが、毎月の会計報告の時には必ず有料会員数を確認している。これは経営者として当たり前の話だ。会員数が伸びていない店舗に対してはテコ入れが必要だし、順調な店舗にも陰りが見えていないか常に気にしている。この数値を根拠として、様々な経営判断をするわけだ。

ところが、朝日新聞の経営陣は有料購読者数を株主の目から隠蔽《いんぺい》している。本来、絶対隠すべきではない数字を隠すことの狙いは何だろうか？　この点については本稿の結論にも当たるので、のちに詳しく述べることにしよう。その前に、これ以外の大事な数字を確認しておくことにする。

そもそも、朝日新聞グループの連結売上高は５期連続のマイナスである。５年間で売上は14％、金額にして６１１億円も減少した。私が株主なら、この時点で役員は全員クビだ。しかし、２０１４年に朝日新聞の社長に就任した渡辺雅隆氏は、未《いま》だにその座に君臨している。

ちなみに、前任は吉田調書と慰安婦問題を巡る大誤報で引責辞任した木村伊量《ただかず》氏だ。渡辺氏は、木村氏の大誤報のせいで就任以来、売上が減り続けていると言い訳するつもりだろうか？　私が株主なら、そんな言い訳を聞いた瞬間に、社長交代のための株主総会を招集するだろう。

もちろん、渡辺社長に朝日新聞の再生プランがあって、それを実行中というなら話は別だ。目先の業績が悪くても、将来の展望が明るいなら株主は全力で応援するだろう。ところが、朝日新聞から漏《も》れ伝わる話は、リストラによる人件費削減の話ばかりで、有望な新規事業の話は寡聞《かぶん》にして聞かない。なんと無能な経営者だ。

「経営者であるなら問題の原因を特定し、改善するためのプランを示せ。それができないならクビだ」

私が株主なら、渡辺社長にきっとそう言うだろう。

朝刊部数は133万部減

では、渡辺社長の代わりに私が教えよう。朝日新聞グループの経営不振の原因は新聞事業にある。それは明白だ。有価証券報告書上に記載されている朝刊の部数ですら、5年間で133万部も減少している。これは率にして19%という恐るべきものだ。

さらに問題なのは、この惨憺《さんたん》たる状況を現経営陣は株主に隠している可能性があるということだ。なぜなら、有価証券報告書を見る限り、過去5年間、一貫して「減収

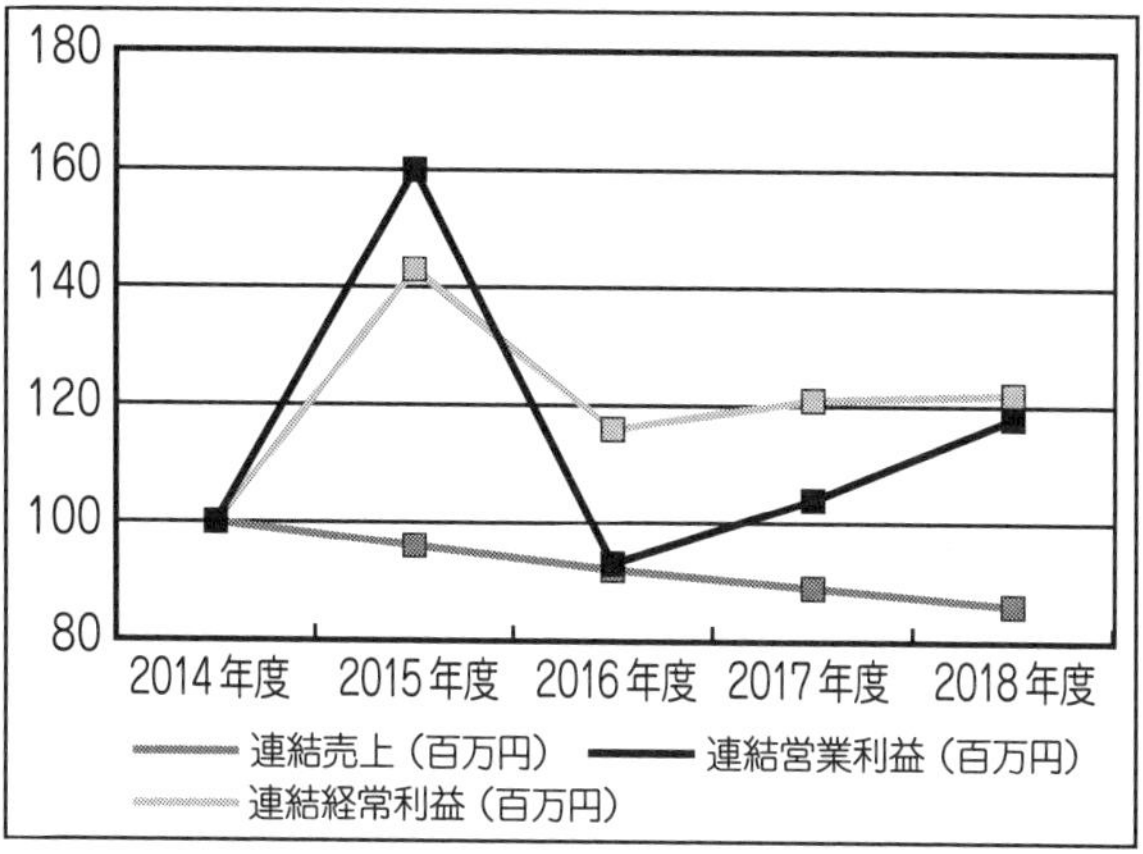

有価証券報告書を基に筆者作成

増益」となる工夫がなされているように見受けられるからである。上のグラフは、２０１４年度を１００とした場合の朝日新聞の連結売上高と連結営業利益、連結経常利益の推移を表したものだ。

ご覧いただければ分かるとおり、売上高が右肩下がりなのに対して、利益が全く連動していない。売上高が趨勢的《すうせいてき》に減少するのに対して、営業利益や経常利益は増減を繰り返している。５年間で売上高が14%も減った会社なのに、営業利益は18%、経常利益は22%も増加しているのだ。

売上高が減少しているにも拘《かかわ》らず、利益が増加する理由は３つしかない。経費の大幅な削減に成功したか、利益率の高い事業が売上高に占める割合が増加したか、それらが同時に起こったか、いずれかである。

たしかに、朝日新聞は2016年から早期割増退職金を支給し、中高年社員のリストラに励んできた。過去5年間で支払われた早期割増退職金の総額は64億円にも上っている。また、最近では正社員の人件費削減にも手をつけたとの報道もある。おそらくこういった「経営努力」が成功すると、利益額が一時的に積み増しされるのだろう。

しかし、過去5年間で減少した正社員数はたったの126人であり、それは率にして1・6%に過ぎない。効果としては限定的だ。また、これらの人員削減が業務効率化によってなされているのかも甚《はなは》だ疑問である。業務効率化がなされないまま、今後も継続的な人員削減を行った場合、残された社員は過大な業務の負担を背負い込むことになる。その結果、健康を害する社員が続出したらどうなるか？　会社はこれら社員への賠償などの金銭的な負担に加え、労働基準監督署からの指導など、コンプライアンス上の重大なリスク顕在化に直面することになるだろう。

経営陣に求められているのは、儲からないビジネスモデルを儲かるビジネスモデルに変えることであって、労働強化によって社員を締めあげて無理やり利益を出すことではない。

新聞出版事業は黒字なのか

増益の2つ目の要因は、利益率の高い部門の売上高に占める割合の増加である。「メディア・コンテンツ事業」（新聞出版事業）、「不動産事業」「その他の事業」の3セグメントのうち、新聞出版事業以外の2つの事業が売上に占める割合は、過去5年間で9・3％から12・3％へと増加した。たった3・0％の増加だが、これら2事業の利益率は新聞出版事業の約13倍なので、利益への貢献度は極めて高い。

ちなみに、過去5期分の事業セグメントごとの営業利益率（連結）を求めてみたところ、新聞出版事業は平均で0・9％であるのに対して、それ以外の2部門を合わせた事業は平均で12・1％だった。

純粋に商売だけを考えれば、新聞出版事業を売却するか廃業するなどして、それ以外の事業に注力したほうが良さそうだ。新聞出版事業の営業利益率は5年間の平均では0・9％だが、直近の決算では0・6％まで低下している。2019年3月期決算では、新聞出版事業の売上3345億円に対して営業利益はたったの19億円である。

ここまでくると誤差の範囲だ。

ここで、先ほどの疑念が蘇《よみがえ》る。経営陣は何かを隠そうとしているのではないか？ 新聞出版事業の黒字を作るために無理やり数字を操作したのではないか、という疑惑である。

このような会計操作を見抜くための教科書が存在することをご存知だろうか？ 私のビジネスパートナーである経済評論家の勝間和代が10年以上前に書いた名著『決算書の暗号を解け！』（武田ランダムハウスジャパン）だ。このバイブルによれば、利益率を操作するために行う典型的な会計操作は、「需要の先食い」と「費用の先送り」である。この点について詳しく説明する。

極めて不自然な利益

「需要の先食い」とは、本来、前受金《まえうけきん》として計上すべき金額を今期の売上に計上してしまうことを指す。具体的には、決算期が3月なのに、3月1日に支払われた1年分の利用料をすべて当期売上として計上することなどがこれに当たる。

たとえば、1カ月3000円の新聞を販売している会社が、3月1日に1年分の購読料3万6000円を受け取ったとしよう。この会社の決算期が3月だとすると、3月の売上に該当する3000円だけが今期の売上として計上できる。なぜなら、残りの3万3000円は4月以降（来期以降）の売上だからだ。今期の会計処理として、この3万3000円は前受金に計上されなければならない。

ところが、売上を過大に計上したい悪い経営者は、本来、前受金として計上すべきこの3万3000円も当期の売上として計上してしまうのである。

次に、「費用の先送り」について説明しよう。これは本来、今期に計上すべき費用を計上せず、来期以降に繰り越してしまうことだ。たとえば、実際には社員の給料（人件費）として払ったお金を、ソフトウェア開発代金と偽ることで、その大半は今期の費用計上を免れる。それ以外の費用は後年費用化されるが、目先の利益を増やすことができるのだ。

この方法を使うと、会社の資金はソフトウェアに化けただけで、貸借対照表の無形固定資産に計上される。費用として計上されるのは、その年に減価償却される一部の金額のみだ。かつて、アメリカで巨額粉飾《ふんしょく》決算事件を起こしたエンロンはこの手法で帳簿上の費用を大幅に圧縮し、奇跡の利益率を実現していた。

勝間和代曰《いわ》く、「資産とは将来の費用である」とのことだ。費用を資産化すると一時的に経費が減り利益は増加するが、それは永遠ではない。積み上げた資産は減価償却されるため、将来にわたって費用が発生するのだ。

朝日新聞がこういった会計操作に手を染めていないか検証するためには、新聞出版事業セグメントにおける前受金勘定、資産勘定を把握する必要がある。ところが、大変残念なことにセグメント情報に記載があるのは資産のみで、前受金の記載はなかった。

仕方がないので、過去5期分の新聞出版事業セグメントにおける営業利益の変化率と資産総額の変化率を計算し、エクセルの関数を使って相関係数を求めてみた。通常、相関係数が0・7程度あれば、その2つの数値には強い相関性があると言われる。

結論だけ書くが、相関係数はなんと0・67だった。つまり、朝日新聞の新聞出版事業における営業利益と資産総額の変化率には強い正の相関（どちらかが増えるともう片方が増える関係）があるということになる。

より具体的に言うと、新聞出版事業の資産が増加する時は営業利益が増加し、その逆もまた真なりということになる。はたしてこれは意図的なものなのか、それとも事業構造上の不可避的な問題なのか。真相は不明だ。

一般的に、売上が減少している企業が利益を出すのは困難である。朝日新聞の新聞出版事業の売上は5年間で約17％も減少しており、このなかで毎年1％前後の利益がコンスタントに出続けることは極めて不自然だ。しかも、新聞出版事業の利益率は概ね一ケタ以下である現状からすると、ギリギリ黒字を演出する動機は十分にあると言えそうだ。

有料購読者数、購読料売上の隠蔽を図った経営陣ならば、意図的な会計操作であると疑われても仕方がないだろう。私がコンサルタントなら、この点を厳しく追及する。場合によっては、専門家のタスクフォースによる厳しいデューデリジェンス（企業の資産価値を適正に評価する手続き）を行うかもしれない。

新聞販売業の実態

そして、ここで本題に移りたい。朝日新聞の中核事業である新聞販売業の実態はどうなっているのか？

まずヒントになるのは、財務諸表上に報告されている発行部数と朝日新聞の販売単価である。２０１９年３月期決算によれば、朝日新聞の発行部数は朝刊５７６万部、夕刊１７９万部である。夕刊１７８万部をすべて朝夕刊セット購読（月額４０３７円）と仮定し、朝刊との差分３９８万部を朝刊のみの購読（月額３０９３円）とすると、新聞購読料の年間売上高は２３４０億円と推計できる。

しかし、この数値は大きすぎる。なぜなら、新聞購読料とは関係ない広告売上なども含んだ朝日新聞の単体決算の売上高２４５５億円に匹敵《ひってき》するからだ。後述の日本新聞協会の調査によれば、80万部以上発行している新聞社の単体決算の売上高のうち、新聞購読料による売上高は平均で57・３%とのことだ。仮にこの数字を朝日新聞に当てはめてみると、１４０７億円となる。２３４０億円とは１０００億円近い差がついている。さすがにこれはあり得ない。とはいえ、この計算によって、まずこの時点で発行部数が実売部数ではないことが確実であると完全に証明された。発行部数は、商売とは関係ない数字として今後は無視していい。

では、改めて問いたい。本章で一貫して隠蔽されていると指摘してきた有料購読者数（実売部数）、新聞購読料売上は一体いくらなのか？　私はいくつかの情報を組み合わせて、これを推計してみることにした。その方法は次の３つである。

	販売収入	広告収入	その他収入	営業外利益	特別利益
発行部数約80万部以上の新聞社	57.3	18.9	22.2	1.2	0.3

出典：日本新聞協会HP

1・内部告発などによる押紙率を使った推計
2・日本新聞協会の統計調査を使った推計
3・財務諸表からの推計

まず、1については『月刊Hanada』2018年2月号に私が寄稿した論説の押紙率32％という数値を用いた。この数値の根拠は、販売店による内部告発や2016年2月の日本記者クラブにおける朝日新聞O記者の発言などだ。この値を使うと、公称576万部の実売部数は約392万部と推計される。すべて朝刊だと仮定して、売上で換算すると1455億円だ。

導き出された実売部数

次に2については、先ほど引用した日本新聞協会がまとめている調査データを使った。使用する財務データは「発行規模別収入構成（総収入を100とする構成比率）」である（上図参照）。

日本新聞協会に直接問い合わせたところ、ここでいう「総収入」は単体決算の売上高を指すとのことだった。2019年3月期の朝日新聞の単体売上高は2455億円である。この調査によれば、そのうち57・3％の1407億円が新聞販売による売上ということになる。この金額を朝日新聞朝刊（3093円）の12カ月分の購読料3万7116円で割ってみると、379万部という実売部数が導かれる。

最後に3については、セグメント情報に記載された新聞出版事業売上高から、新聞購読料以外の売上を徹底的にそぎ落とすことから始めた。手始めに、連結子会社の売上を差し引くために、事業系統図の会社の決算情報から売上高をすべて調べてみた。各社HPや東京商工リサーチに当たってみたところ、朝日インタラクティブ、アサヒ・ファミリー・ニュース社を除くすべての会社の売上高の情報が得られた。詳細は次ページの表のとおりである（※は2017年度決算、それ以外は2018年度決算）。

前述のとおり、2019年3月期決算の新聞出版事業セグメントの売上高は3345億円である。ここから連結子会社の売上高1529億円（四捨五入）を除外すると、1816億円となる。

しかし、まだこれだけではダメだ。1816億円には、新聞購読売上以外の広告収入なども含まれている。そこで、先ほど引用した日本新聞協会の調査データを使い、広告収入を割り出してみた。広告収入は単体売上高の18・9％なので、朝日新聞の場合は464億円と推計される。これを1816億円から差し引いた1337億円が新聞購読料売上となった。単純に朝刊の年間購読料3万7116円で割り戻すと、360万部という実売部数が導き出される。

会社名	売上高（億円）	会計年度
朝日新聞出版	118	2018
朝日学生新聞社　※	24.5	2017
朝日新聞メディアプロダクション	16.2	2018
朝日プリンテック	175	2018
朝日産業	6	2018
朝日新聞販売サービス	64	2018
朝日トップス	18	2018
朝日販売サービス	7.6	2018
朝日サポートセンター	22.7	2018
朝日エージェンシー　※	47	2017
朝日アドテック	2.6	2018
朝日広告社（小倉）	30	2018
中部朝日広告　※	4	2017
朝日オリコミ	344	2018
朝日オリコミ大阪	238	2018
朝日オリコミ西部	161	2018
朝日オリコミ名古屋	221	2018
朝日サービス（北海道）	29.2	2018
合計	1528.8	

各社HP、東京商工リサーチを基に筆者作成

これら3つの推計値を改めて見比べてみよう。

1・内部告発などによる押紙率を使った推計　392万部
2・日本新聞協会の統計調査を使った推計　379万部
3・財務諸表からの推計　360万部

いずれの推計値も400万部を下回った。3つの推計値の平均値は377万部である。おそらく、この数値が2019年3月期の朝日新聞の実売部数に最も近いのではないだろうか。

役員全員を背任行為で告発

ただし、この数値にも注意が必要だ。なぜなら、部数を求めるときに割り戻した数値は、あくまで朝刊の年間購読料だからだ。最新の有価証券報告書によれば、朝夕刊セットの顧客が3割程度存在しているらしい。この点も考慮して2と3のケースで再度実売部数を推計すると、次のような結論が得られた。

2・日本新聞協会の統計調査を使った推計　346万部
3・財務諸表からの推計　329万部

また、今回導き出した実売部数の推計値は、いずれも2018年4月から2019年3月までの年間平均実売部数である点にも注意が必要だ。朝日新聞の実売部数が一定のスピードで右肩下がりだと仮定するなら、期首の部数は多く、期末は一番少ない。今回の推計値は年間を通した平均なので、2019年3月期会計年度のちょうど年央（2018年9月末）の値となるはずだ。朝日新聞の販売部数は現在でも減り続けているため、年度末の3月31日、あるいは現時点でも実売部数はこの値を大きく下回っている可能性が高い。

いずれにしろ、新聞出版事業について公称576万部（朝刊）は絵に描いた餅であり、大量の押紙を含めた机上の空論であることは間違いない。2019年3月末時点での実売部数は377万部以下であることが確実だ。経営陣は、いますぐに実売部数を開示すべきだ。

そもそも、経営陣はなぜこんな大事な事実を株主に知らせず、隠蔽するのか？　私が株主なら、この時点で役員を全員背任行為で告発するだろう。

株主にとって、また朝日新聞グループ全体にとって、新聞出版事業はお荷物になっている。それは、もはや資産ではなく負債だ。資産はキャッシュを生むが、負債はキャッシュを食う。付け焼刃なリストラ、社員の給与カット、会計操作によって、新聞出版事業の赤字を永久にごまかすことはできない。

むしろ、問題がごまかしきれないレベルまで大きくなった時、好調な他の事業にも負の影響が出かねない。問題が対処不能になる前に、根本的な解決を図るべきである。

新聞事業清算のススメ

朝日新聞には大改革が必要だ。そして、進むべき道は2つに1つしかない。負債となった新聞事業に大ナタを振るって再建するか、それともこれを売却または廃業してリスクを完全に消滅させるか。そのいずれかである。

仮に前者を選択するのであれば、現経営陣は全員クビだ。新しい経営者の下で、従来の新聞のコンセプトを覆《くつがえ》すような新たな試みを行うしかない。たとえば、紙の新聞を廃業し、すべてweb版に移行するといったドラスティックな改革である。はたしてそんな難事業を引き受ける経営者はいるのか、仮に引き受けたとしてもうまくいくのか？　世界的な紙の新聞の低迷から推察するに、これは茨《いばら》の道であろう。

では、後者を選択した場合はどうなるか。新聞事業をすべて清算し、資産は売却する。この場合でも、現経営陣は全員クビだ。幸いなことに、いまなら朝日新聞社には単体決算で２１４２億円の純資産がある。会社を潰してしまえば、株主は期せずしてこれをキャッシュで手に入れることができるだろう。この資金を新聞事業以外の儲かっている会社に投資すれば、利益を最大化することができる。私はこのプランがお勧めだ。

この選択をせず、問題を先送りした場合はどうなるだろう。株主は現経営陣が純資産２１４２億円を徐々に食いつぶし、溶かしていくのを、ただただ指をくわえて見ているしかない。

会計操作疑惑、重要指標の隠蔽という事実から鑑《かんが》みるに、朝日新聞の現経営陣はむしろそれを狙っているのではないだろうか。いや、新聞出版事業が左前《ひだりまえ》になって以来、これは歴代社長の秘密の経営方針（＝純資産を食いつぶせ）として継承されてきた可能性すらある。そう疑われても仕方のない経営無策の結果が、大幅な部数減となって現れているのだ。

さて、今回は朝日新聞の大罪に目をつぶり、純粋に企業経営の視点から財務諸表を読み解いてみたが、いかがであっただろうか。非常に驚いたことに、朝日新聞の経営陣は商売人の観点から見てもろくでもない連中であった。財務諸表を見る限り、彼等は株主を欺《あざむ》いて保身を図っていると疑われても仕方ない。繰り返すが、いますぐ全員クビにすべきだ、と株主には進言したい。

ところが、ここに日刊新聞法という岩盤規制の問題がある。この法律は新聞社の株式の譲渡を制限するものだ。そのため、株主は儲からなくなった新聞社の株式であっても、売却することができない。株主は無能な経営者と縁が切れず、彼等の言い訳に何も反論することができない。こうして、腐った経営陣は今日も、そして明日も生きながらえることができるのだ。

おそらく朝日新聞は2142億円の純資産を食いつぶすまで、経営姿勢を改めないだろう。サラリーマン経営者は、自分が退任するまで会社が持てばそれでいいと考えているかもしれない。付け焼刃なリストラ、賃下げ、そして会計操作疑惑は、そんな彼等の心を映す鏡だ。

しかし、こんな延命策がいつまで続くのだろうか？　現在、朝日新聞の実売部数は、年間35万部ペースで減り続けているという。その傾向が続けば、朝日新聞は10年程度で実売部数ゼロとなるかもしれない。実際には、そこまで行く前に、朝日新聞の経営は大きく傾き、会社としての存続は危うくなる。かつて８００万部売っていた時の設備はどう考えても過剰だ。まして、３年以内に実売３００万部割れが目に見えているいまならなおさらだ。

朝日新聞は経費の節減に泥縄的《どろなわてき》な対応を取るばかりで、抜本的な改革を先送りし続けている。いずれその対応も限界を迎えるだろう。

朝日新聞の抗議にすべてお答えします

朝日新聞から抗議が

前節は私が『月刊Hanada』2019年9月号に掲載した「朝日新聞に会計操作疑惑」という論説である。これに対して、約3カ月が経って朝日新聞社の広報部長、後田竜衛氏より丁寧なお手紙（申入書）をいただいた。もちろん、それは抗議の手紙だった。

拙稿について、主に4つの点で事実と異なると指摘したうえで、「誤った推論・前提に基づき、弊社及び弊社経営陣を貶《おとし》める内容の記事を掲載することは、弊社らの名誉・信用を違法に毀損《きそん》し、また弊社の業務を妨害する不当な行為」とし、速やかに謝罪・訂正・取り消しを求めるとのことだ。

後田氏には、拙稿をお読みいただいたことにまずもって感謝の意を表したい。事実を明らかにするためには、いろいろな角度から光を当てる必要がある。その意味で、今回の申入書は極めて重要な情報をもたらしてくれた。この点を踏まえて、後田氏に言われるまでもなく、拙稿の一部を訂正し、より正確な形で朝日新聞の経営実態を読者の皆様にお伝えしたいと思う。

また、私の取材、分析が甘かったせいで前節の原稿に手ぬるい部分があり、結果として朝日新聞の経営上極めて重大なリスクが指摘漏《も》れとなっていた。詳細については後述するが、このことについては素直にお詫びしたい。心からの謝罪の意味を込めて、本稿では前節よりもより正確に、そして、現時点で判明している事実をすべて織り込んだうえで、朝日新聞の経営実態、経営姿勢について切り込んでいきたいと思う。

多くの経営者は、外部のアドバイザーにわざわざお金を払って耳の痛い意見を聞いている。自分には見えていない経営上のリスクを知り、それに備えるためだ。業績が伸びている会社の経営者ほど、耳の痛い話を積極的に聞きたがる。そういう会社には隙《すき》がない。耳の痛い話を遠ざけ、身内で褒め合う組織は沈没する。

私は前節の論説で、朝日新聞の株主に雇われたコンサルタントのつもりで財務諸表を厳しく分析した。そして、朝日新聞の経営陣にとって非常に耳の痛い話をした。まずは、前節の論説について手短に整理しておこう。

２０１９年１０月３０日

株式会社飛鳥新社
代表取締役　　土　井　尚　道　殿
月刊Ｈａｎａｄａ
発行人編集長　花　田　紀　凱　殿
経済評論家　　上　念　　司　殿

株式会社　朝日新聞社　広報部
電　話　０３－５５４０－７６
ＦＡＸ　０３－３５４３－８７

申　入　書

冠省

貴誌２０１９年９月号に掲載された「総力大特集　ざんねんな朝日新聞」とする一連の記事の多くに、事実に反する記述が見受けられます。中でも、上念司氏が執筆した「朝日新聞に会計操作疑惑！」（以下、当該記事といいます）は、タイトル、記事本文ともに数多くの事実に反する内容を摘示するものとなっております。

１．「会計操作疑惑」「重要指標の隠蔽」について

当該記事は、「朝日新聞に会計操作疑惑　スクープ！」というタイトルのもと、弊社に「会計操作疑惑」があることや、弊社が有料購読者数、購読料売上という「重要指標の隠蔽」を行っているとした上で、弊社の経営陣について「ろくでもない連中」「株主を欺いて保身を図っている」「腐った経営陣」などとしております。

上念氏は、新聞の購読料が弊社の事業売上になるという前提に基づき、弊社が有料購読者数（実売部数）という重要指標を株主に隠蔽していると主張しているようですが、弊社の売上になるのは新聞購読者が販売店に支払う購読料ではなく、弊社が販売店に卸した新聞の代金であり、その売上総額は「発行部数×販売店への卸売価格」により算出されます。そして、弊社はその発行部数を有価証券報告書に掲載しており、公表しています。したがって、「重要指標の隠蔽」などという事実はございません。

さらに上念氏は、購読料が弊社の事業売上になるという前提に基づき、「公称五百七十六万部（朝刊）は絵にかいた餅であり、大量の押紙を含めた机上の空論であることは間違いない。現時点での実売部数は三百七十七万部以下であることが確実だ」などと主張しておりますが、上述の通り購読料が弊社の事業売上になるという前提自体が誤っている以上、かかる主張も事実に反したものです。

なお、上念氏が典型的な会計操作として挙げる「需要の先食い」「費用の先送り」を含め、弊社が株主等を欺くような会計操作を行ったという事実もございません。

２．「押紙」について

上念氏は、弊社に３割ほどの「押紙」があると認定しておりますが、弊社に「押紙」はありません。「押紙」とは、公正取引委員会の定義では、

「発行業者が、販売業者に対し、正当かつ合理的な理由がないのに、次の各号のいずれかに該当する行為をすることにより、販売業者に不利益を与えること。

一　販売業者が注文した部数を超えて新聞を供給すること（販売業者からの減紙の申出に応じない方法による場合を含む。）。

二　販売業者に自己の指示する部数を注文させ、当該部数の新聞を供給すること。」

とされておりますが(出典:https://www.jftc.go.jp/dk/seido/tokusyushitei/shinbun.html)、弊社はそのような行為を行っておりませんし、弊社がそのような販売業者に不利益を与える行為をしていると指摘することは、弊社の名誉・信用を違法に毀損します。

３．「日刊新聞紙法」について

上念氏は、日刊新聞紙法により新聞社の株式譲渡が制限されており、株主は儲からなくなった新聞社の株式を売却できないとしていますが、日刊新聞紙法は新聞社が株式の譲渡制限を行うにあたり、定款で株式の譲受人（株主）を事業関係者に限ると定めることができるという法律です（株式の譲渡制限は、通常の会社でも行うことができます）。譲渡制限会社でも取締役会等会社の承認があれば株式を譲渡することもできるので、「売却できない」としたのは誤りです。通常の株式会社同様、新聞社の株主も株主総会での議決権行使や質疑、その他の株主としての権利行使により経営者に質問や反論をすることができます。

当該記事について、弊社に対する上念氏側からの取材・確認も一切ありません。上記のような誤った推論・前提に基づき、弊社及び弊社経営陣を貶める内容の記事を掲載することは、弊社らの名誉・信用を違法に毀損し、また弊社の業務を妨害する不当な行為となります。

申し入れは以上です。弊社は貴誌らに対し、次号で速やかに謝罪・訂正・取り消しをしていただくよう求めます。どのように対応するかについて、１１月８日（金）必着で弊社広報部宛てご回答下さい。なお、貴誌の対応によっては弊社コーポレートサイト（http://www.asahi.com/corporate/）で公表し、適切な訂正がなされるまで掲載することもあり得ます。ご承知おき下さい。

草々

朝日新聞から送られてきた申入書

私が前節で指摘したのは、朝日新聞による重要な経営指標の隠蔽《いんぺい》疑惑と会計操作疑惑だ。隠蔽されていると疑われる重要な経営指標として私が挙げたのは、以下の２つの項目である。

①有料購読者数（通称：実売部数）＝お金を払って、朝日新聞を読んでいる人の数
②新聞出版事業セグメントにおける前受金《まえうけきん》勘定

改めて朝日新聞の有価証券報告書（２０１９年３月期）を読み直してみたが、①と②についてはやはりどこにも書いていなかった。これらが曖昧《あいまい》であれば、会計操作が可能だ。具体的には利益の操作である。実際にそれが疑われる事実として、私は以下の点を指摘した。

③新聞出版事業の売上高に不釣り合いな「小さすぎる利益」
２０１９年３月期決算では、新聞出版事業の売上３３４５億円に対して、営業利益はたったの19億円である。ほぼ誤差の範囲。

④新聞出版事業の売上減少にかかわらず出続ける「小さすぎる利益」

売上は5年間で約17%も減少しており、このなかで毎年1%を挟《はさ》んで小さくブレる利益がコンスタントに出続けることは極めて不自然だ。

会計操作疑惑とは別に、「連結決算では5年間で売上高が14%も減ったのに、営業利益は18%、経常利益は22%も増加している」点についても謎解きをした。利益率向上は人員リストラなど経費節減によるものではなく、新聞出版事業以外の事業の売上に占める割合が増えたことが原因だった。その営業利益率は、平均で新聞出版事業の約12倍（12%）もあるからである。前節、「純粋に商売だけを考えれば、新聞出版事業を売却するか廃業するなどして、それ以外の事業に注力したほうが良さそうだ」と繰り返し私が主張した理由は、まさにこれである。

これに対して、朝日新聞からの申入書が指摘してきたのは、主に次の4項目である。

(A)新聞購読料の売上が事業売上になるという前提は間違っている。
(B)「需要の先食い」「費用の先送り」を含め、株主を欺《あざむ》くような会計操作を行った事実はない。

(C)押紙《おしがみ》は一切ない。

(D)日刊新聞紙法があっても、新聞社の株主は一般企業の株主と変わらぬ権利を行使できる。

ご一読いただければわかるとおり、重要指標の隠蔽疑惑として挙げた①と②に対して、有効な反論はなかった。また、会計操作疑惑として挙げた③と④に対しても(B)で反論しているが、具体的な反証は一切示されていない。なお、(C)と(D)については主要な論点への反論ではないが、これに対する私の再反論は後述する。

つまり、朝日新聞は①から④までの私の主張に対して、具体的な反証を示して反論してこなかったのだ。私の主張をほぼすべて認めてくれてありがとう。広報部長の後田氏には心から感謝したい。

また、「純粋に商売だけを考えれば、新聞出版事業を売却するか廃業するなどして、それ以外の事業に注力したほうが良さそうだ」という経営上のアドバイスについても、特に異論は示されていない。このアドバイスをしっかりと受け止めて、経営改革に励んでほしいと思う。

疑惑を晴らしてください

私は、朝日新聞が数々の偏向報道で日本を貶めた過去に腸《はらわた》が煮えくり返っているが、前回（もちろん今回も）、それを押し殺し、プロの経営コンサルタントとして提言している。だから、朝日新聞には疑惑を晴らし、経営改革を進めるためのチャンスを与えたい。

まず、①と②の疑惑を晴らすのは簡単だ。有料購読者数（実売部数）と新聞出版事業セグメントにおける前受金勘定を公開すればいい。それさえ公開すれば、再計算によって③と④の疑惑も晴れるかもしれない。ただ、それで運よく疑惑が晴れても、「経営努力によって何とか少なすぎる利益を維持しています」という事実が証明されるだけである。はたして、これが経営者としての責務を果たしたことになるかどうかは極めて疑問だ。しかし、疑惑だけは確実に晴れることだろう。

私としてはもうここで筆を擱《お》いてもいいのだが、せっかく申入書に4つも論点を提示していただいたので、きちんとお答えしなければ失礼だ。そこで、各論に入っていこう。

まず、「(A)新聞購読料の売上が事業売上になるという前提は間違っている」についてだが、これは前節の論説の後段で、私が朝日新聞の有料購読者数（実売部数）を推計した方法の誤りを指摘するものだ。

私は、新聞事業売上を読者（エンドユーザー）向けの販売単価で割って有料購読者数を求めたのだが、これでは有料購読者数は求められないと朝日は言う。その根拠として、申入書には次のように書いてあった。

弊社の売上になるのは新聞購読者が販売店に支払う購読料ではなく、弊社が販売店に卸《おろ》した新聞の代金であり、その売上総額は「発行部数×販売店への卸売価格」により算出されます。

なるほど。たしかに、卸売価格で新聞事業の売上総額を割り戻せば「発行部数」は求められそうだ。しかし、私が推計したかったのは「発行部数（＝販売店への卸売部数）」ではなくて、それを有料で購読している読者（エンドユーザー）の数、実売部数である。朝日新聞の申入書の言わんとするところは、「有価証券報告書に書いてあるのは卸売部数だけ」ということだ。つまり、新聞事業売上から有料購読者数（実売部数）を割りだそうとした私がそもそも間違っていたのだ。結果的に誤った推計値を算出してしまったのは私の不注意によるものである。この点についてはお詫びして訂正したいと思うが、その前になぜ私がそのような誤解に至ったかを「丁寧に」説明しておこう。

見逃した重大なリスク

改めて朝日新聞の有価証券報告書を読み直してみたが、「発行部数＝卸売部数」という趣旨の記述は一切なかった。たとえば、２０１９年３月期の有価証券報告書をテキスト検索すると「卸」という字が９カ所ヒットするが、いずれも「棚卸」「たな卸」の「卸」であって、「卸売」という表記そのものが発見できなかった。まず、これが１つ目の事実だ。

そして、２つ目の事実として、同報告書はメディア・コンテンツ事業の「事業の内容」について、次のように説明している点を押さえてほしい。

［メディア・コンテンツ事業］

（各種新聞等の発行・販売事業）

当社は全国紙の「朝日新聞」及び英文紙の「Asahi Weekly」などを発行し、「朝日新聞デジタル」など電子情報サービスも提供している。㈱朝日学生新聞社が「朝日小学生新聞」、「朝日中高生新聞」を、㈱日刊スポーツ新聞社、㈱日刊スポーツ新聞西日本及び㈱北海道日刊スポーツ新聞社が「日刊スポーツ」を発行している。また、朝日インタラクティブ㈱がインターネット事業を行っている。

上記の新聞印刷の一部分は、㈱朝日プリンテック、㈱トッパンメディアプリンテック東京、㈱トッパンメディアプリンテック関西及び㈱日刊スポーツ印刷社などが受託印刷している。

新聞発送の一部分は、朝日産業㈱などが行っている。

新聞販売会社は子会社9社、関連会社39社があり、当社などが発行している新聞・出版物の販売を行っている。

よく読むと、「当社（朝日新聞）は……発行している」とあるだけで、新聞を発行したあとに、それが販売店に卸売されているのか、読者（エンドユーザー）向けに販売されているのかについて何の言及もない。そして、数行後に、「新聞販売会社は……新聞・出版物の販売を行っている」と書いてある。

「当社（朝日新聞）は……発行している」と「新聞販売会社は……新聞・出版物の販売を行っている」を合わせて読むと、あたかも朝日新聞が読者（エンドユーザー）向けに新聞を売っているように見えるが、それは誤解だ。朝日新聞は、あくまで販売店向けに卸売をしているだけである。ここに出てくる新聞販売会社とは、朝日新聞とは別の関連会社のことだ。

この部分は、たしかによーく読めば朝日新聞は卸売をしているだけで、読者（エンドユーザー）からは直接購読料をもらっていないと解釈することができるかもしれない。しかし、問題はそこではない。

そもそも、なぜこんな不親切な書き方をしているのだろうか？　堂々と、「当社は新聞を発行し、販売店に卸売している」と書いてくれれば良かったのではないか？　そうすれば、発行部数＝卸売部数であり、有料購読者数（実売部数）とは別の数字であることが一目瞭然になったはずだ。

まさか、最初から卸売部数（発行部数）を有料購読者数と誤解させる意図をもってやっていたとしたら、それはコンプライアンス上、重大な問題だ。もちろん、そうでないことを祈りたい。

とはいえ、社会の公器たる新聞、なかでも日本を代表する新聞である朝日新聞が、こんな曖昧さを放置してはいけないだろう。今期以降は、発行部数が卸売部数であることを有価証券報告書に明記し、株主を騙しているのではないかといった疑惑を抱かれないように襟《えり》を正すべきだ。「疑われたら、疑われたほうが潔白を証明すべき」という主張をしていた朝日新聞なら、自ら率先して範《はん》を垂《た》れる義務がある。結果として疑惑が深まる可能性もあるが、その時はもっと「丁寧な」説明をすればいい。

そもそも、有価証券報告書に有料購読者数（実売部数）を明記すれば済む話ではないか。朝日は「発行部数を有価証券報告書に掲載、公表しているから重要指標の隠蔽などという事実はない」と申入書で書いているが、全く論外だ。私が指摘しているのは実売部数だ。

ちなみに、ここでもう一つの疑惑が期せずして持ち上がってしまった。朝日新聞は販売店への卸売部数しか把握しておらず、本当は有料購読者数（実売部数）を知らないのではないか、という疑惑である。

実は、この疑惑こそが前回私が見逃した経営上の重大なリスクである。しかし、このリスクに無頓着な経営者は、むしろ「有料購読者数を知らないでおくことのメリットは大きい」と考えているかもしれない。これについては後述する押紙問題ともリンクするので、本稿後半で詳しく説明する。いまは先に進もう。

次の論点に移りたい。

「(B)『需要の先食い』『費用の先送り』を含め、株主を欺くような会計操作を行った事実はない」との反論だが、これは何のエビデンスも伴わない単なる主張である。

ちなみに、後田氏は会計操作＝違法という先入観で必死に言い逃れしているようにみえるが、そんなことをする必要はない。なぜなら、法律上認められている裁量の範囲内で、どの勘定科目を立てるか会社が判断すること自体は違法でないからだ。

たとえば、取引先の部長とのランチが、交際費になるのか会議費になるのかは、各社の裁量だ。A社では会議費になるものが、B社では交際費になり、C社ではそもそも経費として認められない（従業員の自腹）というケースもあり得る。これらは広義にはすべて会計操作に含まれる。しかし、それはいずれも違法ではない。むしろ通常の経理処理だ。つまり、朝日新聞が会計操作を一切していないというのはテクニカルに言えば完全なウソだ。

私は、当初から朝日新聞が会計操作をしている疑いがあるとは言ったが、それが粉《ふん》飾《しょく》決算のような違法なものだとは一言も言っていない。むしろ、資本主義は厳しいので、違法でない範囲の会計操作で騙される人がいたら、それは騙されるほうが悪いのだ。

とはいえ、私は前回も株主側のコンサルタントの立場を取った。そのため、「違法でなくても株主を欺く会計操作は許さん！」という主張をするのもまた当然だ。もちろん、広報部長というお立場上、後田氏も苦しい反論をせざるを得なかった点は理解する。そこで再度強調しておく。朝日新聞の会計操作は違法なものではない。ただし、それが株主を欺く目的で使われたなら、株主側のコンサルタントに厳しく注意されても仕方ない。

「押紙」は本当にないのか

次の論点に移ろう。

「(C)押紙は一切ない」とのことだ。重要なことなので、少し長いが申入書からこの点に関する主張を全文引用する。

2・「押紙」について

上念氏は、弊社に三割ほどの「押紙」があると認定しておりますが、弊社に「押紙」はありません。「押紙」とは、公正取引委員会の定義では、「発行業者が、販売業者に対し、正当かつ合理的な理由がないのに、次の各号のいずれかに該当する行為をすることにより、販売業者に不利益を与えること。

一　販売業者が注文した部数を超えて新聞を供給すること（販売業者からの減紙の申出に応じない方法による場合を含む。）。

二　販売業者に自己の指示する部数を注文させ、当該部数の新聞を供給すること。」

とされておりますが、弊社はそのような行為を行っておりませんし、弊社がそのような販売業者に不利益を与える行為をしていると指摘することは、弊社の名誉・信用を違法に毀損します。

私は一般的な理解では、「押紙」とは販売店に納入されても配られずに捨てられる新聞紙のことを指すと思っていた。ところが、朝日新聞は公正取引委員会の言う違う定義を持ち出し、販売店に不利益を与えるものと定義しているようだ。そのため、朝日新聞の定義するところの押紙は存在しないことになる。ポイントは、販売店に不利益を与えているかどうか、その不利益が裁判で認められたかどうか、ということだ。

しかし、仮にこの定義に従ったとしても、申入書の「弊社はそのような行為を行っておりません」という記述は正確性を欠く。正確に言うなら、「弊社は過去そのような行為を行い販売店に訴えられましたが、それ以降はそのような行為を行っておりません（仮にあっても発覚しておりません）」ではないだろうか？

2009年9月11日に、ASA宮崎大塚（宮崎市）の元経営者・北川朋広さんは朝日新聞に対して、押紙によって被《こうむ》った損害と慰謝料の約6500万円を求める訴訟を提起している。しかも、朝日新聞は北川さんに対して、この訴訟を支援したフリージャーナリストの黒薮《くろやぶ》哲哉氏と絶縁するよう圧力をかけ、念書まで書かせているのだ。（※1）

また、朝日新聞は2016年3月に、公正取引委員会から「注意」を受けている。押紙問題を追及しているフリージャーナリストの幸田泉《こうだいずみ》氏は、次のように述べている。

朝日新聞社広報部によれば、公正取引委員会から注意を受けたのは、販売担当の営業社員と販売店との数年前のやりとりに関してのこと。販売店が「新聞の注文部数を減らしたい」と申し入れをしたにもかかわらず、営業社員は再考を促《うなが》し、こうした中で「営業活動としてやや行き過ぎた言動があった」と公正取引委員会より指摘されたという。

公正取引委員会の注意とは、違法行為を認定したわけではなく「違反につながる恐れがあるので注意しなさい」という程度のものであるが、朝日新聞社は「真摯《しんし》に受け止めている」（広報部）としている。

そもそも新聞社は販売店からの「注文部数」の新聞を配送しているが、販売店は必要部数を超えて押し紙も含めた部数を注文するのが業界の慣例である。販売店は押し紙の負担で経営が苦しくなると、注文部数を減らして必要部数に近づけたくなるのは当たり前のことで、朝日新聞の一件もそういうケースだったと思われる。

(https://gendai.ismedia.jp/articles/-/48396)

幸田氏の取材に対する朝日新聞の言い訳は今回の申入書と全く同じで、「販売店に損害を与えたわけではないので押紙ではない」という趣旨に基づくものだ。しかし、「販売店は必要部数を超えて押し紙も含めた部数を注文するのが業界の慣例」については一切触れず、「注文どおりに納品しただけです」という言い訳で済むだろうか?

そもそも、世間一般的な押紙の定義は、「販売店に納入されるものの売れずに廃棄される新聞」だ。有料購読者数以上に納品された新聞は押紙という認識で問題ないはずだ。しかし、どうしても朝日新聞がこの定義を認めず、公正取引委員会の定義でなければダメだというなら別に構わない。「販売店に納入されるものの売れずに廃棄される新聞」をこれ以降、「オシカミ」と呼ぶことにしよう。前節の拙稿で「押紙」と書いたのは、すべて「オシカミ」のことである。朝日新聞のお望みどおり、ここで訂正しておこう。

もちろん、押紙をオシカミに訂正したところで、問題の本質は全く変わらない。前出の幸田泉氏は同記事において、「現在、朝日新聞系統の複数の販売店関係者によると、同紙の約三割が押し紙だという。発行部数が約６７０万部なので、うち２００万部前後が読者のいない押し紙ということになる」と指摘している。

朝日新聞記者が押紙を問題視

また、『月刊Hanada』２０１８年２月号で引用し、前節でも紹介したとおり、２０１６年２月に日本記者クラブで行われた杉本和行・公正取引委員会委員長講演会の質疑応答において、朝日新聞のＯ記者は「（朝日では）25％から30％くらいが押紙になっている。どこの販売店主も何とかしてほしいのだけれど、新聞社がやってくれない。（中略）押紙の問題については委員長、どのようにお考えになっていますか？（※２）」と質問している。

元共産党の国会議員秘書だったジャーナリストの篠原常一郎氏は、かつてオシカミ問題の陳情を受け、当時参議院議員だった筆坂秀世氏に質問してもらったことがあると証言している。これだけ証拠があるのに、オシカミ問題が存在しないと強弁するのはもはや不可能だろう。

しかし、朝日新聞は裁判で「押紙」は認められていないと反論するかもしれない。

裁判所が押紙をなかなか認めない理由について幸田泉氏は、「原告の店主さんたちがきちんと証拠を残していないというのもありますし、新聞社の側も押し紙しているっていう証拠を残さないようにしているということがあります。（※3）」と指摘している。

「販売店は必要部数を超えて押紙も含めた部数を注文するのが業界の慣例」こそが、この問題の根本なのだ。

とはいえ、私が問題にしているのは、販売店に損害を与えたかどうかではない。あくまでも、「押紙」ではなく「オシカミ」、納品されたまま捨てられる新聞のほうだ。オシカミはかつては「残紙」、いまは「予備紙」と呼ばれ、その存在は朝日新聞も公認しているではないか。繰り返す。私が問題にしているのは、押紙ではなくオシカミなのだ。そして、朝日新聞はオシカミの存在については何ら反論しなかった。この点で、私の主張は認められたと考える。

広告主に対する詐欺行為

ちなみに、なぜ販売店が実際には配られないオシカミを大量に発注するかというと、

	オシカミなし	オシカミ3割	オシカミ3割+折込チラシ5部
売上	6,014,000	6,014,000	7,379,000
売上原価	3,528,000	4,586,400	4,586,400
粗利	2,486,000	1,427,600	2,792,600
粗利率	41.3%	23.7%	37.8%

オシカミで水増しした部数に基づいてチラシの折り込み代を請求しているからである。神奈川県で朝日新聞販売店を経営していた元オーナーに聞いたところによると、「新聞だけでは食えない。チラシがあるから何とかなった」との証言を得た。オシカミを受け入れることでチラシの部数が水増しされることのメリットは大きい。

ＡＳＡ宮崎大塚（宮崎市）の元経営者・北川朋広さんがツイッターで証言したところによれば、「当時九州の統合版の購読料３００７円。それに対して仕入額１７６４円。（※４）」とのことである。この数値をベースに、有料購読者数を２０００人、オシカミ率３割、チラシが毎日５部ずつ入るといった条件を組み合わせて、それぞれのケースの利益（粗利《あらり》）を試算してみた。なお、折り込みチラシの単価は朝日新聞埼玉全域版、Ａ４サイズの３・５円とした。（※５）

新聞単体の事業であれば、オシカミの負担は相当重くなる。しかし、折り込みチラシがあることによって収支はかなり改善している。販売店側が、捨てられることが分かっていてもオシカミを止めない

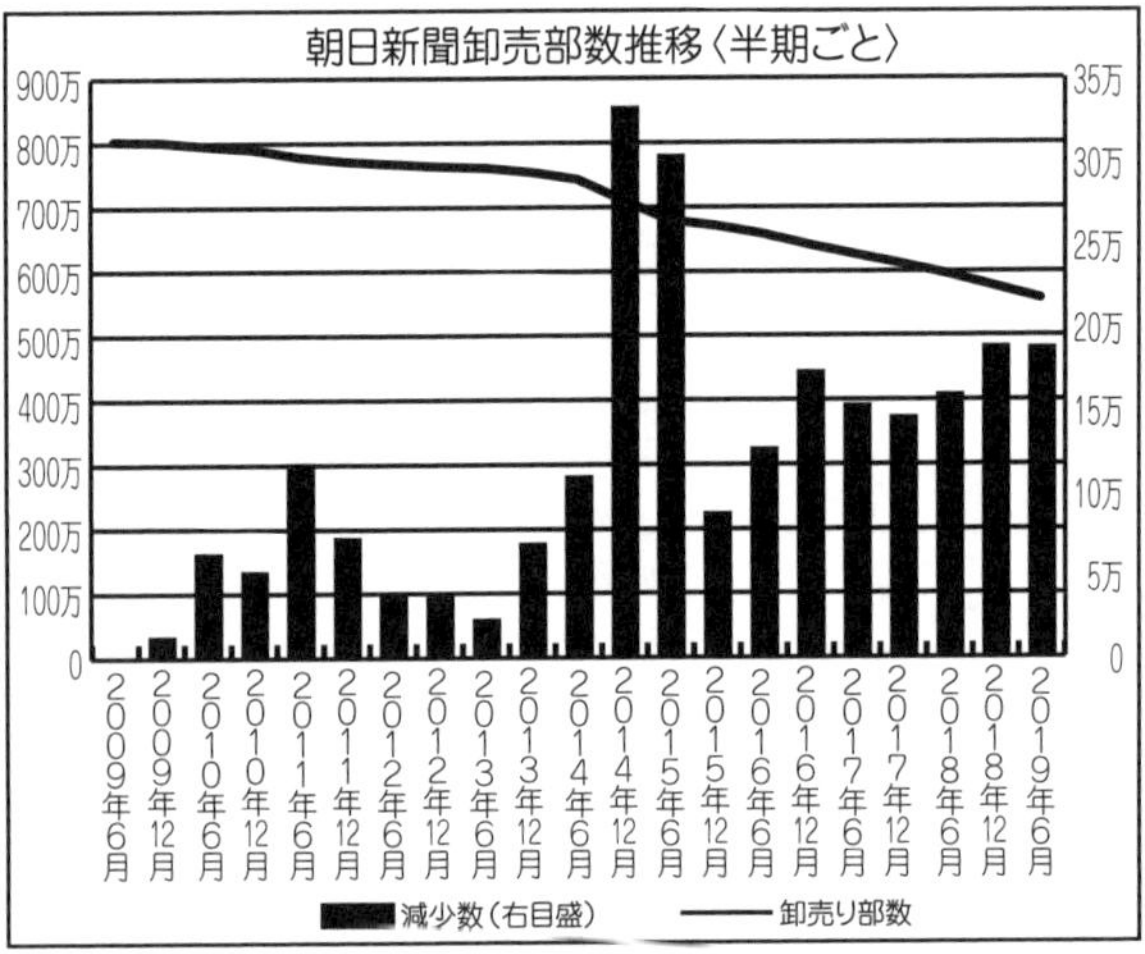

（日本ABC協会のデータに基づき筆者作成）

理由はこれではないか？

実際に、新聞販売店から搬出される大量の古新聞のなかに数多くのチラシが混じっていることは、黒薮哲哉氏らの取材でも明らかになっている。なかには、新聞紙でチラシをくるんで中が見えないようにする手の込んだものもあるそうだ。

朝日新聞は、こういった詐欺行為は販売店が勝手にやっていたことなので知りませんでした、と言い逃れするつもりだろうか？　もしこれが事実だとすると、コンプライアンス上看過できないリスクが表面化する。

折り込み部数の水増しは広告主に対

する詐欺行為であり、立派な犯罪である。私が前回見落とした「経営上の重大なリスク」とは、まさにこれのことだ。あれだけ新聞紙上でコンプライアンス問題を厳しく追及している朝日新聞が、取引先の販売店に対して十分な監査を行わず、このような犯罪行為を放置していたとしたら大問題である。「販売店が請求してきたのでそのとおり売ってます」「有料購読者数は把握しておりません」などという言い訳は通るわけがない。

いますぐ、販売店ごとの有料購読者数を調べて、水増しされた折り込み数は訂正すべきだ。つまり、朝日新聞の申入書の言うように、押紙がゼロであっても、オシカミが存在していること自体が経営上の重大なリスクなのである。

幸田泉氏の講演によれば、１９７０年代は、予備に納品される部数はせいぜい２％程度だったという。２０２０年5月15日、佐賀地裁は新聞販売店の元店主が佐賀新聞社を訴えた「押紙」裁判の判決の中で、必要な予備紙は供給部数の２％という原告の主張を認めている。破損した際の予備や、販促用の無料配布用として許されるのはせいぜいこの程度だろう。オシカミが増えたのは、新聞購読者数が目に見えて減り始めた２０００年以降のことのようだ。

なぜ実売部数を公開しないのか

では、ここで朝日新聞の有料購読部数（実売部数）を改めて推計してみたい。幸田泉氏は2016年4月の記事で、「現在、朝日新聞系統の複数の販売店関係者によると、同紙の約3割が押し紙だという」と述べている。これは、同年2月の朝日新聞記者O氏の証言と一致している。

つまり、当時の卸売部数（発行部数）は約670万部なので、オシカミはその3割の約200万部だったということになる。なお、この時期前後の朝日新聞の卸売部数（発行部数）の推移と増減数は、232ページのグラフのとおりだ。

2014年下期と2015年上期は大幅に減っているが、それ以降の減少ペースは概《おおむ》ね年30万部ペースで落ち着いている。そこで、200万部のオシカミが指摘された2016年上期から2019年6月までに減った部数を使って、3つのシナリオで有料購読者数を推計してみた。

シナリオ1は有料購読者の純減がゼロ、卸売部数の減少はすべてオシカミの減少として計算した結果だ。さすがにこれはあり得ない数字だが、最も楽観的なシナリオと

	シナリオ1	シナリオ2	シナリオ3
2019年6月卸売部数	5,579,398	5,579,398	5,579,398
オシカミ残数	1,005,608	1,330,605	2,010,000
有料購読者数純減数	0	324,997	1,004,392
有料購読部数推計	4,573,790	3,923,796	2,565,006

しておこう。

シナリオ2は、有料購読者の純減数を2010年上期から2014年の上期までのABC購読者数減少の平均値とし、それ以外をオシカミの減少として計算した結果だ。これが中間的なケースとなる。

シナリオ3は、純減数はケース2と同様とし、それがすべて有料購読者の減少と捉《とら》えて計算した結果である。このケースでは、オシカミが一部も減っていないことになるため、現在のオシカミ率は3割を超えてしまうが、朝日新聞の不正の可能性はゼロではない。敢《あ》えて最も悲観的なシナリオとして計算してみた。

計算式は「2019年6月卸売部数－オシカミ残数－有料購読者純減数」とし、上の表のとおりになった。

結果は、前回の推計値とあまり変わらなかった。3つのケースの平均は368万7531部であり、前回推計した約377万部と大差のない結果となった。やはり計算上、有料購読者数は40

0万部割れとみるのが妥当だ。しつこいようだが、これはあくまでも有料購読者数（実売部数）の推計であって、卸売部数（発行部数）の推計ではない。この点を取り違えた批判は的外れであることをあらかじめ指摘しておく。

当たり前の話だが、新聞を有料で購読してくれる読者（エンドユーザー）の数が減れば、卸売部数にも影響が出る。経営者として新聞事業の売上拡大を図るなら、読者（エンドユーザー）向けの販売動向は当然把握すべきだ。その実数の把握なくして、どうやって事業計画を立てるつもりなのだろうか？ まさか、朝日新聞の経営陣は、折り込み部数水増しで責任を取らされることを恐れて、新聞の有料購読者数をわざと把握しないでいるのだろうか？ まさかそんなことはないとは思うが、一抹の不安がよぎった。仮に有料購読者数を公開できない理由がそれだとしたら、無責任経営の誹《そし》りは免れないだろう。

日刊新聞紙法の問題

最後に、「(D)日刊新聞法があっても、新聞社の株主は一般企業の株主と変わらぬ権利を行使できる」について反論しておく。まずは、申入書から要点を整理しておこう。

●日刊新聞紙法は新聞社が株式の譲渡制限を行うに当たり、定款《ていかん》で譲受人《ゆずりうけにん》（株主）を事業関係者に限ると定めることができる。
●譲渡制限会社でも取締役会等会社の承認があれば株式を譲渡することができるので、「売却できない」というのは誤り。
●朝日新聞の株主も株主総会で議決権行使や質疑、その他株主としての権利行使ができる。

譲渡制限があっても株は売れるし、株主は一般の会社と同じ権利を持つと朝日新聞は言う。しかし、譲渡制限とは、株主が株を譲渡しようと思っても、取締役会がそれを妨害できるという仕組みのことだ。あくまでも一般論だが、いまよりも厳しく経営責任を追及してきそうな人に株が譲渡されそうになったとき、グータラ経営者たちは取締役会を開いてこれを妨害することができるのだ。

たしかに、「絶対に売れない」わけではないが、「一般の上場企業のように楽に売れない」のは事実ではないか。私が、日刊新聞法の問題として指摘したのはこの点であ

朝日新聞縮小団

シンボルマーク

上念司氏が創設。「朝日新聞のなくなる日、平和の日」をスローガンに、個が個のままに集い朝日新聞を縮小すべく活動を行っている。各々が毎月三件の新規解約獲得を目指し自主的に行動する。別名「個別の一万人」。※個が自己責任で活動しているため運営本部や問い合わせ窓口などは一切ございません。

る。

　とはいえ、表現が正確性を欠いていた点は訂正しなければならない。そこで、前節208ページ8行目～11行目の表現を以下のように訂正しておく。

「そのため、株主は儲からなくなった新聞社の株式であっても、**一般企業と同じように簡単には**売却することができない。株主は無能な経営者と**なかなか**縁が切れず、彼等の言い訳に何も反論することができないに**等しい。なぜなら、株主が無能経営者をクビにしようとしても、無能経営者側が全力で抵抗すればそれを阻止できるからである。事実上、人事権を失った株主の統治能**

力は一般企業の株主以下となる。こうして、腐った経営陣は今日も、そして明日も**譲渡制限に守られて**生きながらえることができるのだ」

新聞社の経営者が一般の上場企業の経営者より大幅に優遇されているのは、誰の目にも明らかだ。遊園地のゴーカートもF1も車は車だが、誰もがその違いを知っている。車だと強弁したければ勝手にするがいい。

さて、以上が朝日新聞の申入書に対する私の真摯なお詫びと訂正である。改めて表面化した重大な経営上のリスクについて、朝日新聞はどう対処するのか？　その対処を間違えれば、企業としての存立にかかわる重大事態を招きかねないだけに注目だ。

経営陣は私からの耳の痛い話に真摯に耳を傾けて、読者、社員（非正規も含む）および社会に対する責任をしっかりと果たしてほしいと思う。

※1http://www.mynewsjapan.com/reports/1071
※2https://ironna.jp/article/4130
※3「押し紙」を考える勉強会の報告・その2よりhttps://www.youtube.com/watch?v=NYlOfq3YxJg

※４https://twitter.com/tomo19660606/status/97135887973498881

※５https://rakuori.com/sim_docs/form_01.php

追記

以上の論文は２０１９年11月26日発売の『月刊Hanada』２０２０年１月号に掲載されたものだが、私の反論に対して、２０２０年10月末現在、朝日新聞は未だに再反論できずにいる。よほど痛いところを突かれたのだろう。反論がないということはこれらの事実を認めたのだろうか？　とりあえず、広告主からの訴訟リスクには十分気を付けてほしいものだ。

第8章

縦割り行政

岩盤規制を打破する内閣人事局

写真：共同通信社

役所と業界の癒着

岩盤規制を打破できるかどうかは、内閣人事局が機能するかどうかにかかっている。それはなぜか？　誤解を恐れずにとてもシンプルに言おう。役所と業界は癒着している。その接着剤が天下りだからだ。

業界団体や企業が官僚のOBを雇って、役所と人的関係を築き、その関係を使って様々な「お願い事」をする。それは大抵その業界の既得権者に有利な規制や税制などだ。官僚には「お願い事」を叶える力がある。その力を官庁の裁量権という。そして、こんな恣意的《しいてき》な裁量権を行使する官僚を、総理大臣ですら、明確な法律違反などがない限り辞めさせることが難しい。そのため、官僚は増長し、「お願い事」は続く。結果として、この国の経済は弱くなっていく。なぜそうなるのか？　本章を最後までお読みいただければ、そのカラクリがご理解いただけるだろう。

まずは、元財務官僚の髙橋洋一氏が『国家の怠慢』（新潮新書）の中で証言した、非常に興味深い事実について確認しておきたい。

髙橋氏は大蔵省に入省してすぐに金融部局に配属された。すると、ほどなくして親子ほど歳の離れた役所の先輩が訪ねてきたそうだ。最初は役所的な対応をしているが、頻繁に来るのでそのうち飯でも食いに行こうと誘われた。もちろん、先輩の誘いだから断れない。そのような関係を続けていくうちに、今度は役所の情報が欲しいと頼まれるようになった。差しさわりのない情報でも教えてあげればとても喜んだそうだ。そして、この関係がさらに進むと突如として第三者が現れる。それは先輩が天下りしている業界の人だ。髙橋氏の証言は次のように続く。

そのあとはどんどん親しくなって接待漬けですよ。大蔵省スキャンダルの前でしたし、もうすごい接待です。人事異動で部署が変わると全くなくなるんですけど。だから、接待は１年か２年ぐらいしか続かないんです。

でも、それで何年かして、また課長補佐のポストで金融部局に人事異動してみると、そのときからまた、その前に知り合った人たちがワッと来るんですよ。今度は何かもう、ずっと付き合っていたかのように来る。向こうとしては、前の投資が生きたっていう感じだと思うんですよね。

そうすると、またすぐに接待攻勢。私は、正直言ってあまりそういうのが好きじゃないし、行くのがもう面倒くさかったんですけど、でも仕事だと思って上司と一緒に行っていました。

接待はすごくて、文部省と大蔵省の間に坂があるんですけど、その坂に、霞が関ビルのほうまでずーっとタクシーが並ぶんですよ。それで夜、そこのタクシーを使って宴会に来てくださいって、そういうやつなんです。

（出典：『国家の怠慢』〈新潮新書〉髙橋洋一、原英史《えいじ》著）

バブル期に大ヒットした『お笑い大蔵省極秘情報』（飛鳥新社）さながらの酒池肉林《しゅちにくりん》の接待、そしてズブズブな関係。あの本に書いてあったことは本当だったようだ。髙橋氏の証言はさらに続く。

そんなことがなぜ起こるかっていうと、役所が権限を持っているのと、天下りの人がいるから。だって最初に天下りの人が来ていろいろなセッティングをして、役所と業界の接着剤になっていていてずーっといるんですよ。天下りの人がいなければたぶん、役所との接触もあまりありません。役人も1年か2年で交代しますから、す

ぐ親密にはなれないで終わっちゃうと思いますよ。（出典：前掲書）

役所の人事の回転速度は速い。天下りがなければ、人事異動の時点で接着剤は剝がれてしまう。ところが、天下った役所の先輩はずーっと業界にいて、役人が少し偉くなって元の部署に戻ってくるとまたやってくる。その先輩が業界からいなくなっても、別の天下りがその穴を埋める。「接着剤システム」は永遠に続くのだ。こうすることで業界は永久に「お願い事」を頼み続けることができる。しかも、そこに既得権益に寄り添い、あらゆる面でバックアップされた「族議員」と呼ばれる政治家が絡《から》んできたりもする。まさに古い自民党政治、政財官鉄のトライアングルだ。

「新自由主義」を乱用する人びと

では、その「接着剤システム」を使って、業界はどんな「お願い事」をするのだろうか？　実は、これが極めてろくでもない。例えば、自分の業界に強力な新規参入業者がやってきたとき、規制を強化して参入させないようにするといった不埒《ふらち》な内容だ。

日本には「新自由主義」という言葉を定義もろくに知らずに乱用する人が多い。左翼の定義する「新自由主義」とは、政府が特定の企業や業界に有利になるような法規制、税制などを制定することで新規参入をブロックし、競争させないことによって既得権者を儲けさせるシステムのことだ。国民は本来ならばもっと安い値段で買えたはずの商品やサービスを高い値段で買わされ、それを供給する既得権者（企業）は甘い汁を吸う。そして、その利益の一部を政界、官界に還元し、このシステムが永遠に続くように工作する。業界の「お願い事」を叶える「接着剤システム」とはまさにこの新自由主義の定義に当てはまるのではないだろうか？

ちなみに、新自由主義者が最も忌《い》み嫌うのは完全自由競争である。彼らは政府の決めたインチキなルールなしに、実力頼みのガチンコ勝負をすることは避けたい。なぜなら、企業間の競争は価格の低下を招き、ひいては利潤の減少につながるからである。自由化とはまさに市場を完全自由競争に近づけることだが、なぜか日本で新自由主義を批判している人は自由化が嫌いらしい。自由化以前の状態はまさに新自由主義そのものなのに、その状態は放置されても問題はないのか？　新自由主義を批判するものが新自由主義的な日本の鉄のトライアングルを全く批判しないのは解《げ》せない。

52年にも及んだ門前払い

さて、話を元に戻そう。岩盤規制を理解するために1つの例を挙げたい。

岡山理科大学を運営する加計《かけ》学園は今治《いまばり》市に獣医学部を新設しようとしたが、文科省の通達によってそれを阻まれた。そこで特区制度を利用して何とかこの規制を突破しようと試みた。20年越しの努力の末、ようやく獣医学部の新設に漕ぎつけたが、最後の最後に野党とマスコミのせいで政争の具にされ散々な目に遭った。いわゆるモリカケ問題は我々の記憶に新しい。事の真相は、既存の獣医学部および獣医師会が文科省と結託して競争相手の新規参入を阻む岩盤規制を設けていたに過ぎない。

そもそも、憲法では経済活動の自由が認められており、それを制限するからには合理的な理由が存在しなければならない。ところが、文科省は数値的な根拠に基づかずに「獣医師は足りている」という謎ロジックを展開し、獣医学部の新設については設置認可の申込を受け付けない（門前払い）という対応を続けてきた。その期間は52年にも及んだ。まさに岩盤規制だ。

ところが、この門前払い対応に法律上の根拠はない。しかし、根拠のない対応でも長年続けているとそれが既得権のようになってしまう。そのため、法律上の根拠がないことを確認するために、わざわざ特区制度を使って文科省に認めさせなければならなかった。文科省と獣医師会は最後の最後まで抵抗し、「1校だけなら認める」という粘りを見せた。この1校だけという条件に深くかかわっていたのが、自民党総裁選で3回落選した衆議院議員の石破茂氏だったと言われている。

ところが、巨悪を暴くはずのマスコミはこんな分かりやすい既得権の事例をまともに報道しなかった。石破氏の示した不可解な条件よりも、単に理事長と友人関係にあった安倍前総理を犯人扱いしたのだ。

また、弱者に寄りそうと口では言っている野党も、実は弱者の立場にあった加計学園に寄り添うことはなかった。アポなし訪問など、テロとも思《おぼ》しき嫌がらせを行い続けたことは記憶に新しい。古い自民党が作った鉄のトライアングルだったが、その上に新たなトライアングルが誕生したようだ。原英史氏（元経産省）はこれを「新利権のトライアングル」と名付けた。マスコミと野党と既得権者（役所も含む）が結託したこの新しいトライアングルは前のやつ以上にたちが悪い。既得権者に含まれる役所が情報をマスコミにリークし、マスコミが書いた記事を元に野党が国会で騒ぐ。国会の騒ぎをマスコミがさらに記事にして煽《あお》りまくる。こうすることで国民を問題の本質から遠ざけるのだ。そこまでして守りたい利権が彼らにはある。これほど日本の既得権と岩盤規制の問題は根深い。

文科省だけの問題なのか

特に文科省は悪質な役所だ。なぜなら、２００７年に国家公務員法が改正され、天下り斡旋が禁止されてからもずっとこれを続けていたからだ。これは法律違反であり、犯罪行為である。

２０１７年1月20日、菅義偉官房長官（当時）は文部科学省が国家公務員法に違反し、元同省局長の早稲田大学への天下りを斡旋《あっせん》した疑惑について、同省の前川喜平《きへい》事務次官（当時）を退任させ、後任に戸谷《とだに》一夫文部科学審議官を任命すると発表している。前川氏は結局懲戒処分されたうえで役所を去った。

菅氏は「文科省において斡旋や休職などの再就職規制に違反する行為があったことに加え、当該行為を隠蔽《いんぺい》しようとされたことは公務の公正性に対する国民の信頼を極めて大きく揺るがすものであり、あってはならないことだ」と強調。「（内閣府の）再就職等監視委員会は関係者への適切な措置、再発防止策の徹底、そして全容解明を求めており、しっかりと対応したい」と述べた。（https://www.sankeibiz.jp/macro/news/170120/mca1701201222008-n1.htm）

これは文科省だけの問題だろうか？　大蔵省の接待汚職スキャンダルが発覚したのは１９９８年、国家公務員法改正が２００７年、それでも公務員の腐敗は続いていた。こうして、業界と役所のズブズブの関係は温存され、既得権にチャレンジしようとする起業家は政府から妨害されて退場していく。そんな国にイノベーションが生まれるはずもない。

激安理髪店を狙い撃ちにした参入規制

もう1つの事例を紹介しておこう。２００７年ごろから、理容店に洗髪用の洗面台設置を義務付ける条例が相次いで制定されたことをご存知だろうか？　あれは激安理髪店のＱＢハウスを狙い撃ちにした参入規制だったと言われている。

◇洗髪設備設置の義務化　都道府県別

参考：洗髪設備設置の義務化とは

理容所・美容所の開設にあたり、一部の道県や保健所設置市区の条例にて、「理容所・美容所では、洗髪を行なうための流水式の設備を設けること」という内容の条文が規定されたことをいいます。

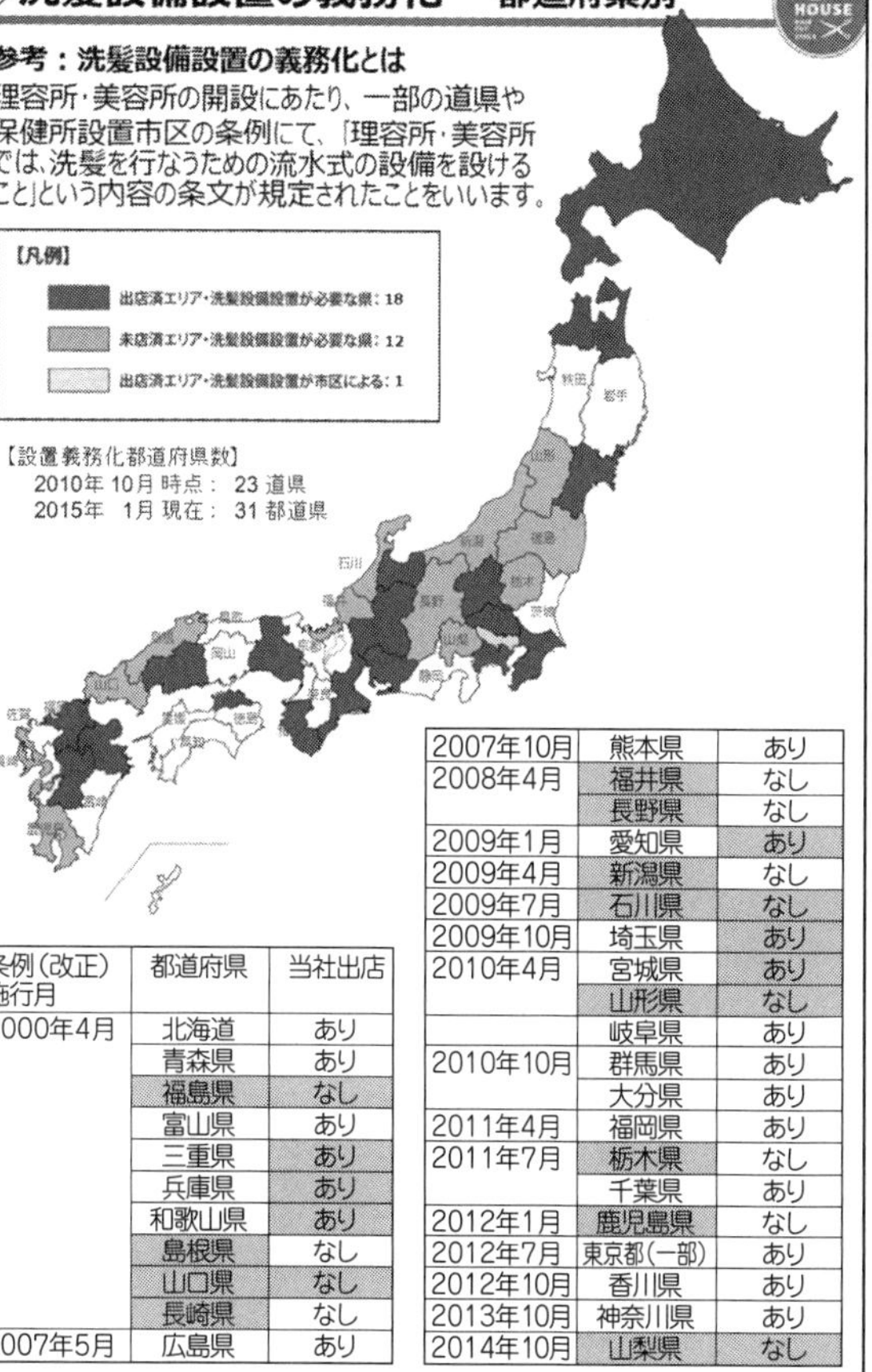

【設置義務化都道府県数】
2010年 10月 時点：23 道県
2015年　1月 現在：31 都道県

条例（改正）施行月	都道府県	当社出店
2000年4月	北海道	あり
	青森県	あり
	福島県	なし
	富山県	あり
	三重県	あり
	兵庫県	あり
	和歌山県	あり
	島根県	なし
	山口県	なし
	長崎県	なし
2007年5月	広島県	あり
2007年10月	熊本県	あり
2008年4月	福井県	なし
	長野県	なし
2009年1月	愛知県	あり
2009年4月	新潟県	なし
2009年7月	石川県	なし
2009年10月	埼玉県	あり
2010年4月	宮城県	あり
	山形県	なし
	岐阜県	あり
2010年10月	群馬県	あり
	大分県	あり
2011年4月	福岡県	あり
2011年7月	栃木県	なし
	千葉県	あり
2012年1月	鹿児島県	なし
2012年7月	東京都（一部）	あり
2012年10月	香川県	あり
2013年10月	神奈川県	あり
2014年10月	山梨県	なし

（https://www8.cao.go.jp/kisei-kaikaku/kaigi/meeting/2013/wg3/toushi/150220/item1-1-5.pdf）

この件に関して、厚生労働省の公式見解を確認しておこう。厚生労働省健康局の稲川生活衛生課長は２０１５年２月20日の第６回投資促進等ワーキング・グループにて次のように発言している。

今、理容所、美容所の中では、理容所、美容所を開設する場合には都道府県知事の届出が必要となっておりますし、理容所又は美容所の使用を開始するためには、都道府県の検査を受けて、その構造設備が一定の措置が講じられたものであることの確認を求めております。その講ずべき内容の中に、ここにありますように常に清潔を保つ。消毒設備、採光、照明、換気の話。その他、都道府県が条例で定める衛生上必要な措置ということでございまして、実際に都道府県とか大きな市におきましては、**衛生上、必要な事項を条例で定めることができる。あるいは国としてそこの部分は都道府県に委任している**という整理でございます。

(https://www8.cao.go.jp/kisei-kaikaku/kaigi/meeting/2013/wg3/toushi/150220/gijiroku0220.pdf)

※太字・傍線は筆者による

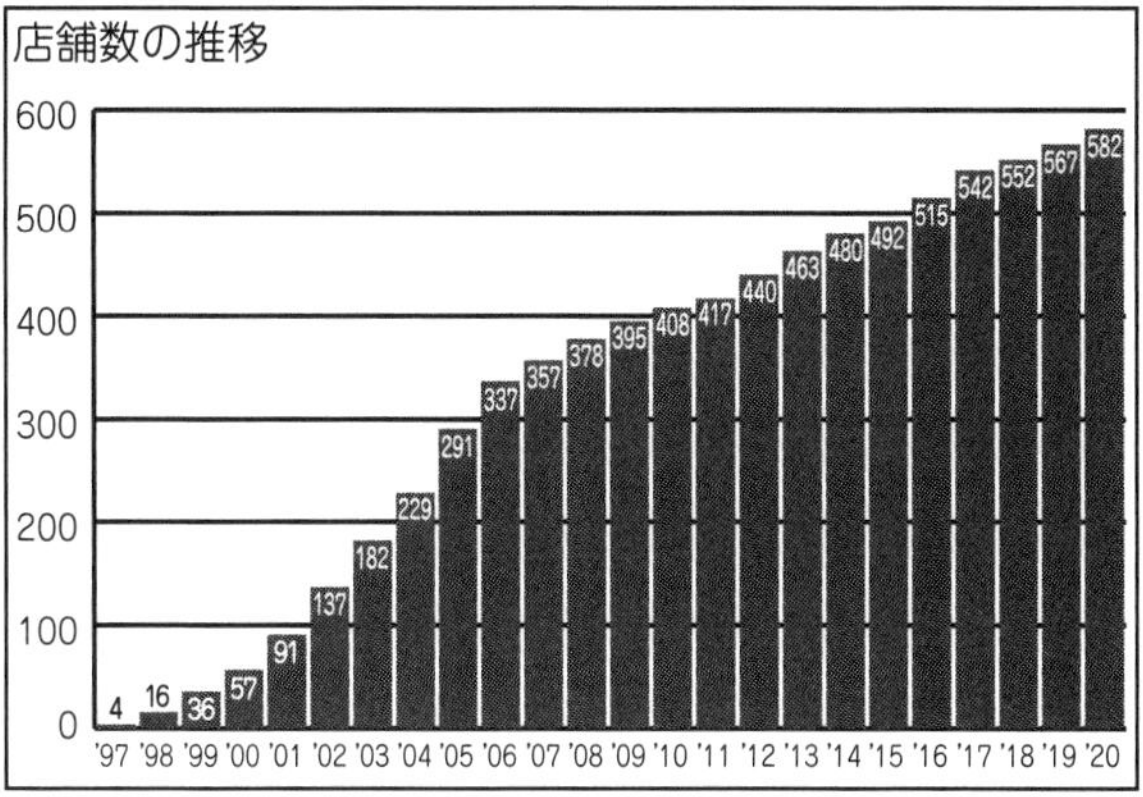

http://www.qbnet.jp/history/

ＱＢハウスが２０００年以降に店舗数を急拡大すると、なぜかそれを後追いするように洗面台義務化条例が相次いで制定されている。これは偶然だろうか？　厚生労働省に対して業界団体が「お願い事」をしたことはなかったのか？

２００７年時点で、ＱＢハウスは３５７店舗に広がっており、すでに存在するビジネスを狙い撃ちにして国全体で網をかけるにはリスクが高かった。さすがに露骨に業界の言うことを役所が聞いているように見えるのはマズイ。だから、地方自治体に規制を丸投げして、業界の意向を聞いたような恰好《かっこう》を付けた。おそらくそんなところではないだろうか？

学校の社会科では、行政権とは法律を執行する権限であると習った。ならば、官僚は法律に書かれた通り職務を遂行するだけで、規制を強めたり緩めたりすることはできないはずだ。ところが、どうもそうではないらしい。獣医学部新設の門前払いも、洗面台設置義務条例の件も、神ならざるミエミエの力を感じるのは気のせいではない。

マスコミが暴こうとしない本当の巨悪

実は官僚は法律を作っているし、その法律を実際にどの程度厳しく適用するかも決めているのだ。

日本の法律は建前上、立法府である国会が作っている。しかし、国会で法律は通るが、法案はほとんど内閣から提出されたものだ。国会議員が法律案を作る議員立法は数えるほどしかない。例えば、令和2年1月20日から6月17日までの通常国会において成立した法律63本のうち、議員立法は8本だった。平成31年1月28日から令和元年6月26日までの通常国会においても成立した法律68本に対して議員立法は14本である。概ね8割から9割の法律は内閣が提出したものであり、ハッキリ言ってこれらは官僚が作った法律だ。

官僚たちは法律を作る際に、なるべくその内容を曖昧《あいまい》なものにしておくという。そして、具体的な規制の中身は政令や省令で定めるとする。このような政令、省令に丸投げする下請け構造こそが官僚たちの力の源泉だ。

さらに、この規制を事前規制によって運用すれば完璧だ。事前規制とは、ある業界に参入する場合、その規制に定められた条件をクリアしているかを事前に役所が審査し、認可や許可を出すやり方である。実はこのやり方、「届出」の場合ですら参入をブロックするのに有効だ。

筆者も経験があるのだが、例えば投資顧問業（助言）の届出の場合、単に書類に必要事項を書いて届ければいいだけではない。そもそも、届出書が要求する質問の意図がよく分からない上に、届出内容がトンチンカンなものなら受け取ってもらえず突き返される。私は正直許認可と一体何が違うのか最後まで分からなかった。

届出ですら複雑な内容にすることによって、官僚は規制を恣意的に適用することが可能だ。だからこそ、いついかなる時も業界からの「お願い事」を叶えることができる。

もちろん、その際に恣意的な法律の運用であることがバレるような下手は打たない。先ほど紹介した理容店の洗面台設置義務条例の裏には厚生労働省の意向が見え隠れするが、表向きは飽くまで各地方自治体が独自に判断したことになっている。その規制が都道府県ごとに異なるルールであることは極めて理不尽であるが、厚生労働省は「地方に任せている」というだけで何もしない。おそらく業界とあうんの呼吸で理不尽な規制強化を行えるようにした一種のアートではなかったのか？　疑惑は深まるばかりだ。しかし、マスコミはこういった本当の巨悪は絶対に暴こうとしない。

その理由は簡単だ。第４章で論じたとおり、日本のマスコミもこのサークルの中にいる既得権者だからだ。全世界でデジタルテレビが多局化、多チャンネル化する中、日本だけがＮＨＫと民放５社の寡占《かせん》状態が続いている。その理由は、電波利権を巡る岩盤規制にある。

ＮＨＫおよび地上波のキー局はまさに既得権者だ。彼らは新規参入を警戒し、電波オークションにも反対している。こうして競争のない環境を維持しているからこそ、つまらないバラエティ番組とフェイクニュースを垂れ流していても営業が続けられる。しかも、電波料金は格安だ。こんな儲かる商売はやめられないだろう。

官僚を支配しているのは誰か

さて、ここまで述べてきた岩盤規制と利権の構造を理解した上で、次の文章を読んでほしい。内閣人事局がなぜ岩盤規制を打破するための切り札になるのか、今読めばその理由が分かるはずだ。

各省庁にはそれぞれの縄張りで、所管業界や族議員とともに長年築きあげてきた利権構造がある。端的にいえば国民一般の利益を犠牲にして（例えば過度な高価格など）、既得権者が利益を得る仕組みだから、時の政権が国民目線でこれに切り込もうとすることは古くから時々あった。そうした局面では、官僚機構が業界・族議員とともに徹底抗戦するのが伝統的な構図だった。今も残る「岩盤規制」の利権構造はたいてい、そうした徹底抗戦によって守られてきた。

徹底抗戦を可能にしたのは、「政治は官僚人事に介入しない」という不文律だ。官僚の人事権は法律上は大臣にあるが、官僚たちの作った人事案をそのまま丸のみするのが伝統的な慣例だった。

不文律のもとで何が起きていたかというと、官僚たちは、大臣よりも、実質的な人事権のある官僚機構のボスをみて仕事をしがちになる。「政権の方針」より「省庁の論理」が優先されるわけだ。しかも、ボスは必ずしも現職の官僚トップではなく、OBたちが実権を握っていたりする。OBたちは所管の利権団体に天下りしているのだから、「縦割り利権」護持が至上命題になるのは当然だった。

(https://news.biglobe.ne.jp/economy/0920/jbp_200920_7090678180.html)

この文章は、第一次安倍政権の時に、実際に公務員改革を推進し、抵抗勢力の妨害に遭った経験のある原英史氏のインタビュー記事からの引用だ。原氏のこの解説ですべてが繋がったのではないか？　官僚を支配しているのは大臣でもなければ、現役の事務次官ですらない。業界に天下った先輩たちが現役の官僚を仕切っている！

その先輩たちの力の源は「政治は官僚人事に介入しない」という不文律だ。この不文律がある限り、官僚は改革を求め既得権を打破しようとする政治家に抵抗できる。なぜなら、国民に選ばれた政治家に逆らったところで、何ら人事上の不利益を被《こうむ》ることがないからだ。

だからこそ、先輩にされた「お願い事」を屁理屈《へりくつ》使って全力で叶えにくるわけだ。そして、既得権は守られ、新規参入はブロックされる。新しいアイデアもイノベーションも、しょうもない規制のせいで実現しない。こんなことで日本経済は大丈夫なのか？

岩盤規制を突き崩すために、「政治は官僚人事に介入しない」という不文律は絶対に打破されなければならない。そのために内閣人事局が必要なのだ。このことを頭に入れた上で、菅総理の次の発言を聞いてほしい。

「政権の方針が決定した後、従わない官僚は異動してもらう」

政府の方針が決定するまではいろいろな議論があっていい。だから、官僚も自分の考えを表明して大いに議論をすればいい。しかし、一旦方針が決まったらそれには従うべきだ。そして、それに従えないなら、その部署にい続けることは適切でない。決まったことを骨抜きにしてまで守りたいもの、おそらくそれは利権であろうから。

内閣人事局が機能し始めると、既得権が全滅する恐れがある。そのため、既得権者であるマスコミは早くも「官僚の忖度《そんたく》を生むから悪い」という謎ロジックで攻撃を開始してきた。全く的外れだと言わざるを得ない。

内閣人事局が官僚の異動を一括で行うことは国民にも利益がある。

例えば、優秀な官僚には入省したのとは別の省庁で問題解決に取り組んでもらうこともできる。一例をあげると前出の髙橋洋一氏は大蔵省（財務省）→内閣府→総務省と3つの役所を渡り歩き、それぞれの役所で大きな成果を上げている。髙橋氏の場合は、自ら志願しての異動だったが、内閣人事局が人材を一括管理することでこれをもっと組織的且《か》つ大規模に行うことも可能であろう。少ない人的リソースの有効活用にも繋がるし、無能な利権官僚を排除するのにも役立つ。

これに加えて、規制の在り方も事前規制型から事後チェックへと運用を変えるべきだ。実は日本政府も1990年代後半から、事後チェック型にシフトしてきている。しかし、大学の設置認可など、一部の強力な既得権者のいる業界に限っては未だに事前規制型の名残《なごり》が根強く存在しているのも事実だ。旧弊が残る部分についても、完全に事後チェックに移行してしまえば、業界の「お願い事」を官僚が叶えることができなくなる。

果たしてここまでやれるのか？

明治維新の直後、大久保利通《としみち》や木戸孝允《たかよし》など新政府のキーパーソンが岩倉使節団として外遊してしまったために、後に残された西郷隆盛などが留守政府を作った。その留守政府にあって江藤新平は近代的な法制度の導入、身分制の廃止、陸軍省・海軍省の設置、近代的な教育制度開始、国立銀行条例制定などなどありとあらゆる改革をデザインし、実際に実行してしまった。その期間はわずかに2年である。日本はこの2年で近代国家に生まれ変わった（その詳細については拙書『経済で読み解く日本史　第4巻　明治時代』〈飛鳥新社〉をお読みいただきたい）。

菅総理には第二の江藤新平としての役割が期待されていると私は思う。

おわりに

自由な国、日本。確かにそうだ。少なくともチャイナや北朝鮮に比べればずっとマシだと思う。しかし、ここまで見てきた通り、これだけ高度に自由主義経済を発展させてきた日本であっても、いまだ数多くの社会主義的な岩盤規制が存在する。それは日本経済の発展のチャンスを潰《つぶ》し、利権に群がる特権階級を喜ばせるだけでなく、本来市場から退場すべき非効率産業をゾンビのごとく生き残らせてしまう。第6章で述べた通り、医療費の約3割が無駄というのは何も医療費だけに限ったことではない。これを国の財政政策全般に敷衍《ふえん》すれば、毎年100兆円の国の予算のうち30兆円は無駄に使われていることになる。国民の財布から盗んだお金が、岩盤規制の維持に使われているのだ。何とも釈然としないが、問題はこれだけではない。

岩盤規制は、日本人の経済活動の自由を妨害し、新しいアイデアを持った人間を萎《い》縮《しゅく》させる。それは市場機能を麻痺《まひ》させ、非効率的な産業をのさばらせる。市場機能とは、「人々が自由なアイデアをぶつけ合って、競争することでより良いアイデアが生き残る」ことだ。それを活かすためには、いろいろなアイデアを持った人が新しい事業を立ち上げ、失敗しても何度もチャレンジできる社会を作るしかない。もっと具体的に言えば、ベンチャー企業が既存の大企業と平等に競争できる環境を整備すること。これこそが日本経済の発展には欠かせない。

ところが、本書で指摘した通り、未だ多くの分野に市場機能を阻害する岩盤規制が存在する。その多くはすでに歴史的な役割を終え、単なる利権と化している。いつまでこんな非効率なことを続けるのか。バター不足も、携帯電話も、医療費の高騰も、偏向報道も基本的には岩盤規制に起因する「人災」だ。

いわゆる「新自由主義批判」の家元で、反グローバリズム運動の理論的支柱と言われるデヴィッド・ハーヴェイ（イギリスの地理学者）は、政府が税金免除、補助金、参入障壁としての法規制などで特定の企業を儲けさせ、そこからバックマージンを受け取る構造こそが「新自由主義」だと定義している。この定義に従うなら、天下りや利権とセットになっている日本の岩盤規制こそが「新自由主義」の権化《ごんげ》だ。

ところが、日本で新自由主義批判をしている勢力は思想の左右を問わず、自由化よりもむしろ規制強化で新自由主義的政策がなくなると吹聴《ふいちょう》している。本書をここまでお読みいただいた方々なら、これが完全な誤解であり、皮肉にも彼らの主張はむしろ新自由主義を擁護、強化するものであることが分かるだろう。救いようのないバカである。

さらに皮肉なことであるが、岩盤規制の撤廃にいま一番積極的なのが、彼らから批判されている菅政権だ。

携帯電話やNHK料金の値下げ、ハンコの廃止などによる行政手続きの簡略化、GoToキャンペーンや定額給付金などは武漢肺炎で委縮した日本の消費者にとっては朗報だ。

日本学術会議の件で菅政権をマスコミが批判し、ウソや捏造《ねつぞう》報道をして支持率を落とそうとしても、なかなか支持率が下がらない理由はまさにここにある。逆に、野党の支持率が上がらない理由も同じだ。国民は岩盤規制が自分たちの財布からお金を盗んでいることを知っているのだ。

しかし、いくら菅政権であっても経済政策に失敗すれば終わりだ。消費税増税によって消費が低迷し、デフレに逆戻りすれば、それで政権は終わる。岩盤規制を守りたい既得権者たちの高笑いが聞こえてきそうだ。そして、憲法改正を阻止したいマスコミが増税に積極的な理由もこれかもしれない。景気が良い状態を保つことこそが、岩盤規制を打破するための必要条件だ。我々は次世代に金食い虫を残すのか、それとも金の卵を産む鶏を残すのか？　いままさにその岐路《きろ》に立っていると言えるだろう。

菅総理には武漢肺炎で低迷した日本経済の完全復活のための正しい判断を期待したい。

【著者略歴】

上念 司（じょうねん　つかさ）

1969年、東京都生まれ。中央大学法学部法律学科卒業。在学中は創立1901年の日本最古の弁論部・辞達学会に所属。日本長期信用銀行、臨海セミナーを経て独立。2007年、経済評論家・勝間和代氏と株式会社「監査と分析」を設立。取締役・共同事業パートナーに就任（現在は代表取締役）。2010年、米国イェール大学経済学部の浜田宏一教授に師事し、薫陶を受ける。金融、財政、外交、防衛問題に精通し、積極的な評論、著述活動を展開している。著書に『経団連と増税政治家が壊す本当は世界一の日本経済』（講談社＋α新書）、『もう銀行はいらない』（ダイヤモンド社）、『誰も書けなかった日本の経済損失』（宝島社）、『経済で読み解く日本史シリーズ』（飛鳥新社）他多数。

日本を滅ぼす岩盤規制
国民生活を苦しめる8の敵
文庫版

2020年12月4日　第1刷発行

著　者　上念 司

発行者　大山邦興
発行所　株式会社　飛鳥新社
〒101-0003 東京都千代田区一ツ橋2-4-3　光文恒産ビル
電話（営業）03-3263-7770（編集）03-3263-7773
http://www.asukashinsha.co.jp

装　幀　芦澤泰偉

印刷・製本　中央精版印刷株式会社

ISBN 978-4-86410-805-8

編集担当　沼尻裕兵／工藤博海